Christine Laurans. 6°B.

GUIDE DE L'ASTRONOMIE

James Muirden

SOLAR

Illustrateurs : Ron Jobson, Mike Saunders, Deborah Mansfield

Première publication : 1982, Kingfisher Books Limited

© Kingfisher Books Limited 1982

© Editions Solar 1983 pour la traduction française

Cet ouvrage, traduit de l'anglais par Odile Ricklin, a été supervisé par Martine Castello.

ISBN édition originale 0 86272 0281
ISBN édition française 2 263 00663 X
Numéro d'éditeur 996

Imprimé et relié en Italie par Vallardi Industrie Grafiche, Milan

Sommaire

Introduction

L'astronomie, si elle est une science, peut être aussi une aventure passionnante pour quiconque, citadin comme campagnard, aime aller à la découverte des richesses du ciel.

Et de même que le ciel compte nombre de corps différents — de l'aveuglant Soleil à l'étoile la plus pâle — il y a différents types d'astronomes. Aujourd'hui, les spécialistes ne passent plus guère leur temps l'œil collé à un télescope mais plutôt à étudier des diagrammes, des photographies, à dépouiller des résultats d'ordinateur. Par contre, l'astronome amateur, lui, continue à scruter l'immensité et à y faire des découvertes passionnantes.

Amateurs et professionnels

Contrairement à ce que l'on croit en général, la grande majorité des astronomes amateurs ne possède pas de gros télescopes et les jumelles

▼ **La comète Humason**, 1961. L'appareil photographique suit le mouvement de la comète, d'où les traces laissées par les étoiles.

▼ **Le réflecteur anglo-australien de 3,9 m,** en Nouvelle-Galles du Sud : l'un des « géants » modernes.

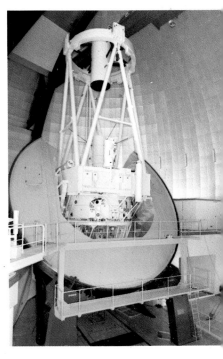

restent le plus courant des instruments astronomiques. Certains passionnés ont, bien sûr, installé un véritable observatoire dans leur jardin, mais il faut se rappeler que la simple observation à l'œil nu a été à l'origine d'importantes découvertes. Après tout, c'est ainsi que tout a commencé et les astronomes de l'Antiquité — en Grèce, en Chine, en Egypte — n'avaient à leur disposition que les plus simples des instruments. Leur méthode consistait à observer le ciel et à noter en détails tout ce qu'ils voyaient.

Aussi, si de nos jours l'astronomie professionnelle a besoin de s'entourer d'énormes télescopes et de tout un matériel sophistiqué, il est évident que cet ouvrage ne s'adresse pas à cette catégorie de chercheurs mais à tous les curieux qui, sans connaissances particulières, veulent se lancer à la découverte du ciel.

L'astronomie amateur

Pour beaucoup, l'astronomie amateur commence par une habitude que l'on prend de scruter régulièrement le ciel nocturne afin de se familiariser avec les étoiles et les configurations qu'elles adoptent. Certains amateurs se prennent alors à s'intéresser plus particulièrement aux corps célestes qui composent notre système solaire : le Soleil, la Lune, les planètes, les comètes... D'autres préfèrent fouiller plus loin dans l'espace, observant les étoiles, les amas d'étoiles ou les nébuleuses qui peuplent notre galaxie : la Voie Lactée. Ils cherchent même d'autres galaxies, si lointaines que leur lumière met des millions d'années à nous parvenir.

Les découvertes des amateurs

Même à notre époque de télescopes géants, les amateurs font parfois d'importantes découvertes, certaines dans l'espace proche, d'autres dans de lointaines régions de l'univers. Ainsi, par exemple, cet Anglais, Roy Panther, qui, un soir de Noël 1980 et grâce à un télescope construit de ses propres mains, découvrait une nouvelle comète. Deux mois plus tard, le 24 février 1981, c'était un Australien, le Révérend Robert Evans qui, alors qu'il observait une lointaine galaxie, y notait la présence d'une supernova — une étoile en train d'exploser. Un tel phénomène est si rare qu'immédiatement, tous les observatoires professionnels braquaient leurs télescopes en direction de la supernova.

◄ **Le ciel nocturne.** Parmi ces étoiles, il en est qui suivent par deux (étoiles binaires) la même trajectoire et d'autres dont l'éclat varie (étoiles variables). D'une nuit à l'autre, le ciel n'est jamais le même.

▲ **Jupiter :** l'une des
meilleures photographies
prises à partir de la Terre.
La tache noire marque
l'ombre d'une des quatre
principales lunes ; au-
dessous, on aperçoit la
Grande Tache Rouge. Les
astronomes amateurs ont
effectué d'intéressantes
recherches sur Jupiter.

▶ **La surface tourmentée
de la Lune** a été largement
observée à partir d'un
vaisseau spatial, mais les
amateurs ne se lassent pas
de scruter ses montagnes
et ses cratères.

Equipement — Les jumelles

Même sans aucun instrument, on peut voir des milliers d'étoiles mais jumelles et télescope sont néanmoins utiles car ils permettent non seulement de voir plus de corps célestes, mais de les examiner plus en détails.

Les jumelles

Les jumelles sont en fait deux petites lunettes jumelles dans lesquelles des prismes font dévier la lumière de façon à offrir un instrument plus compact. Bien que moins puissantes que les télescopes, elles présentent l'avantage d'être transportables et pratiques puisque l'on observe avec les deux yeux.

Une paire de jumelles ordinaires révélera 30 étoiles là où l'œil nu n'en verrait qu'une. Une seule précaution : les faire reposer sur le coude ou sur un support si l'on ne veut pas que le battement du cœur ou la tension musculaire les fasse trembloter et brouille la vision.

Le grossissement des jumelles n'étant pas très élevé, elles ne permettront pas d'observer le détail des planètes ; cependant, un instrument de qualité vous permettra de voir trois ou quatre satellites de Jupiter, les phases de Vénus, les plus gros cratères de la Lune ou encore de projeter les taches solaires sur une feuille de papier.

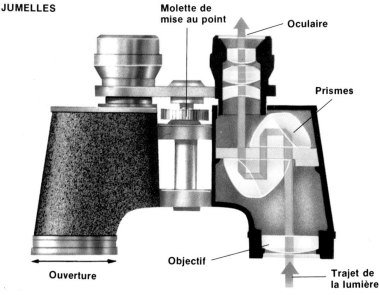

JUMELLES

Molette de mise au point

Oculaire

Prismes

Objectif

Ouverture

Trajet de la lumière

▲ **Une petite lunette transportable** ou des jumelles sont les instruments idéaux du débutant. Même le plus petit de ces instruments vous permettra de voir plus d'étoiles que vous n'en verriez à l'œil nu.

Ouverture et grossissement

Jumelles et petites lunettes portables appartiennent à la même famille d'instruments de faible puissance. Le *diamètre d'ouverture* et le *grossissement* en sont les caractéristiques importantes. Le diamètre d'ouverture désigne le diamètre (en mm) de la lentille, ou objectif, par laquelle entre la lumière. Plus la lentille est grosse, plus l'instrument recueille de lumière et plus l'image obtenue est brillante.

Le grossissement d'un instrument désigne sa capacité à faire apparaître un objet plus grand. Ainsi, dans une lunette de grossissement égal à 10, la Lune qui mesure un demi-degré de diamètre à l'œil nu sera vue mesurant cinq degrés de diamètre.

Toute paire de jumelles porte ainsi deux nombres : 8×30 ou 10×50. Dans chaque cas, le premier nombre désigne le grossissement, le second le diamètre d'ouverture, en mm. Pour l'observation astronomique en général, des jumelles de 10 x 50 sont un instrument idéal.

13

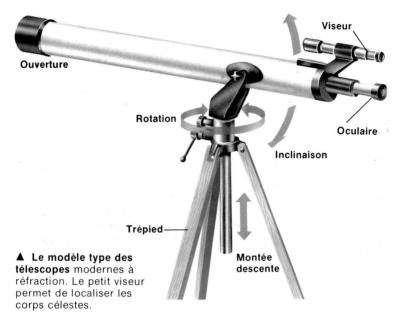

Viseur

Ouverture

Rotation

Inclinaison

Oculaire

Trépied

Montée descente

▲ **Le modèle type des télescopes** modernes à réfraction. Le petit viseur permet de localiser les corps célestes.

◄ **Le réfracteur de 1 m** de l'Observatoire de Yerkes ; l'un des plus grands du monde.

▼ **Les télescopes de Galilée.** En 1610, le savant découvrait les lunes de Jupiter.

14

Oculaire **Objectif**

Les réfracteurs

Un réfracteur ou « lunette » se compose d'une lentille — ou *objectif* —
qui fait converger la lumière vers un foyer proche de l'autre extrémité
du tube (voir schéma ci-dessus), de façon à former une image. Cette
image est agrandie par une petite lentille : l'*oculaire*. Il ne s'agit pas,
en fait, de simples lentilles mais de composés de lentilles faites de deux
sortes de verre au moins. De telles lentilles sont dites *achromatiques*
parce qu'elles évitent que la lumière ne se décompose en rayons
lumineux de couleurs différentes et ne donne une image colorée et
brouillée.

Pour un réfracteur, 60 mm de diamètre d'ouverture est un peu
insuffisant, 75 mm constitue une ouverture très correcte ; au-dessus,
l'instrument est réellement puissant. Le tube mesure, en général,
quinze fois le diamètre d'ouverture, d'où la difficulté d'un montage
vraiment rigide. Aussi convient-il d'éliminer de son choix les lunettes
à bas prix : non seulement leur pouvoir séparateur est faible, mais, mal
montées, elles ne permettent pas d'observer les détails car l'image
vibre.

POUR ACHETER UN TÉLESCOPE

Avant de faire son choix, il est important de prendre le plus de renseignements possible — auprès de clubs, de sociétés d'astronomie, etc. Un mauvais télescope risquerait de vous dégoûter de l'observation avant même que d'avoir commencé ! Les télescopes sont généralement fournis avec plusieurs oculaires.

Le grossissement se calcule en divisant la longueur focale de l'oculaire (qui doit être inscrite) par la longueur focale de l'objectif (la distance de la lentille à l'image qu'elle forme d'un objet éloigné). Trois grossissements sont à conseiller, par exemple :

Ouverture	Grossissements
60 mm	× 30 × 90 × 150
80 mm	× 40 × 120 × 200
100 mm	× 50 × 150 × 250

Les instruments de faible puissance vous font découvrir une plus grande portion de ciel à la fois mais il faut un instrument puissant pour observer les détails.

15

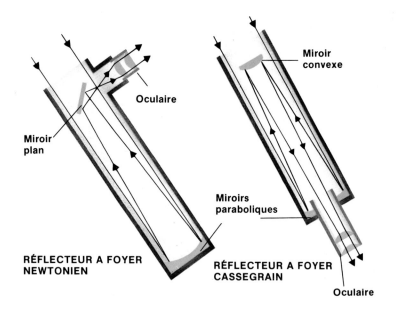

Miroir convexe

Oculaire

Miroir plan

Miroirs paraboliques

RÉFLECTEUR A FOYER NEWTONIEN

RÉFLECTEUR A FOYER CASSEGRAIN

Oculaire

Les réflecteurs

Seuls les astronomes utilisent les réflecteurs. Le principal avantage de ceux-ci sur les réfracteurs est le prix de revient moindre, à taille égale, d'un miroir par rapport à une lentille. Ils sont également plus compacts que les réfracteurs, d'où un montage plus facile. Les plus petits réflecteurs commercialisés sont équipés d'un miroir concave de 100 mm de diamètre, mais pour un amateur, mieux vaut choisir 150 mm comme diamètre de miroir.

Pour qu'un réflecteur ait un bon pouvoir séparateur, ses miroirs doivent être polis avec une précision égale au $1/10^e$ de la longueur d'onde de la lumière visible, soit 0,00005 mm environ. Un réflecteur à *foyer newtonien* (voir ci-dessus) se compose d'un miroir parabolique concave et d'un second miroir, plan, qui renvoie la lumière reçue vers une ouverture pratiquée dans l'extrémité du tube. Un réflecteur à *foyer Cassegrain* (ci-dessus) est constitué d'un miroir principal concave et percé en son centre, et d'un petit miroir convexe.

Les amateurs optent en général pour un réflecteur à foyer newtonien, les télescopes à foyer Cassegrain étant plus coûteux. Les miroirs sont généralement recouverts d'une pellicule d'aluminium sur l'une de leurs faces. Le fait que cette pellicule doive être remplacée de temps à autre constitue le principal inconvénient des réflecteurs.

LES MONTAGES

Un télescope peut être monté de deux façons sur son support. Le plus simple de ces montages est dit *azimutal.* Il permet au tube de se déplacer verticalement et horizontalement. Mais dans ces conditions, il n'est pas très facile de suivre une étoile.

Le montage *équatorial* évite cet inconvénient car un seul mouvement est nécessaire pour suivre un astre. L'instrument est fixé sur deux axes perpendiculaires mais dont l'un — l'axe polaire — est parallèle à l'axe de la Terre. Si, une fois par jour, on oriente celui-ci dans la direction opposée à celle de la rotation de la Terre, le télescope restera pointé dans la même direction (voir schéma de droite). L'autre axe ou axe de déclinaison ne sert qu'à localiser l'objet.

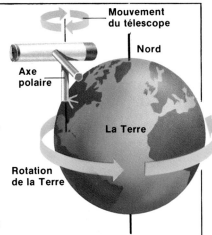

▲ **Dans le montage équatorial,** l'un des axes est parallèle à celui de la Terre.

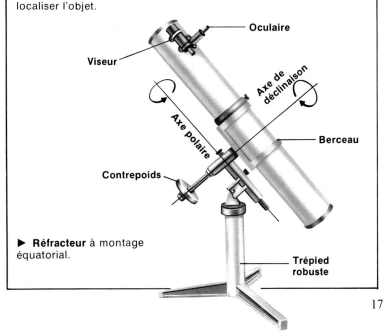

▶ **Réfracteur** à montage équatorial.

17

▼ **Réflecteur de 210 mm,** du commerce, à monture équatoriale.

▲ **Réflecteur de 215 mm,** à montage azimutal, presque entièrement réalisé en bois et utilisé par l'auteur.

▼ **Le dôme** de l'un des plus grands télescopes du monde : le réflecteur Mayall de Kitt Peak, Arizona.

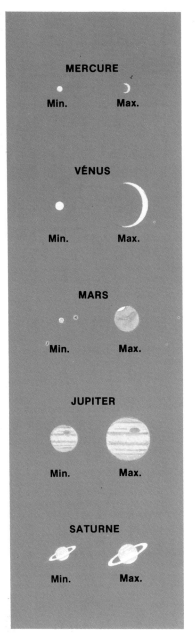

MERCURE

Min.   Max.

VÉNUS

Min.   Max.

MARS

Min.   Max.

JUPITER

Min.   Max.

SATURNE

Min.   Max.

Presque tous les instruments professionnels sont des réflecteurs ; le dernier gros réfracteur, le *télescope* de 1 m de Yerkes (E.-U.), fut construit en 1897.

Nombre d'amateurs construisent leur réflecteur ; ils achètent dans le commerce les miroirs mais fabriquent le tube et exécutent le montage.

Grossissement

L'illustration de gauche donne une idée de ce à quoi peut s'attendre l'amateur. Ainsi, en tenant le livre à quelque 25 cm de l'œil, les planètes vous apparaîtront telles que vous les verriez à travers un télescope grossissant 200 fois. Chaque planète est montrée telle qu'à sa distance maximale et minimale de la Terre (exceptions faites de Neptune, Uranus et Pluton).

Il ne faut pas espérer obtenir une image télescopique aussi nette car les courants atmosphériques brouillent l'image. Sans oublier qu'un petit télescope vous révélera moins de détails qu'un gros.

A travers un télescope

La plupart des télescopes astronomiques donnent une image renversée. Les télescopes d'amateurs, eux, sont équipés de lentilles supplémentaires qui redressent l'image, mais les astronomes préfèrent se passer de ce morceau de verre qui affaiblit l'image.

19

Le ciel en mouvement

La base à partir de laquelle nous observons le ciel est en perpétuel mouvement mais nous sommes si bien habitués à ce phénomène que nous l'oublions ; pour nous, la Terre est immobile et tout dans l'univers tourne autour d'elle. Nous semblons, tel l'observateur du schéma ci-dessous, être au centre d'une énorme sphère — la sphère céleste — sur ou à l'intérieur de laquelle les corps célestes tournent d'est en ouest.

Puisque la Terre tourne autour d'un axe nord-sud, la sphère céleste paraît tourner autour du même axe. Une photographie obtenue grâce à un appareil dirigé vers le pôle avec son obturateur ouvert plusieurs minutes d'affilée montrera des traces d'étoiles centrées sur le pôle.

L'univers de Ptolémée

Pendant des milliers d'années, les populations ont réellement cru que planètes, étoiles et Soleil tournaient autour de notre Terre. L'astronome grec Ptolémée (environ 140 après J.-C.) mit au point un système complexe dans lequel les diverses planètes, le Soleil, la Lune, et toutes les étoiles, avaient chacune sa propre coquille : sphère invisible tour-

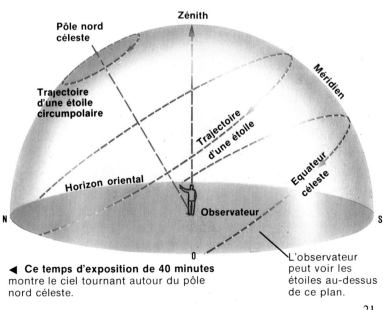

◄ **Ce temps d'exposition de 40 minutes** montre le ciel tournant autour du pôle nord céleste.

L'observateur peut voir les étoiles au-dessus de ce plan.

21

nant autour de la Terre. C'est par la présence de ces sphères séparées qu'il expliquait que les étoiles puissent conserver d'une nuit à l'autre les mêmes positions relatives.

La Terre tourne sur elle-même

Nous savons aujourd'hui que la Terre, comme tous les objets célestes que nous voyons, se déplace. Les étoiles nous apparaissent à la même place mais elles ne sont pas immobiles. Certaines se déplacent même très vite, mais elles sont si éloignées que leur position l'une par rapport à l'autre paraît ne pas changer. Les planètes étant plus proches, on remarque mieux leur mouvement, et comme elles tournent autour du Soleil, leur position sur la sphère céleste varie lentement. Il faut un mois à la Lune pour faire une fois le tour de la sphère céleste. Il faut un an au Soleil : c'est-à-dire le temps que met la Terre à accomplir une orbite.

▼ **Si les planètes** paraissent se déplacer irrégulièrement sur la sphère céleste, c'est parce que la Terre, elle aussi, se déplace. Dans la théorie de Ptolémée, ces irrégularités s'expliquaient par l'existence de petits épicycles comme indiqué ici.

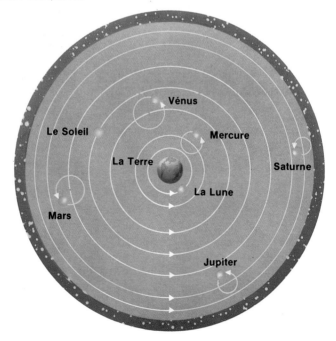

ON PEUT PROUVER
QUE LA TERRE TOURNE

La fameuse expérience de Foucault
prouvant que la Terre tourne sur elle-
même a été conduite à Paris en 1851. Un
poids lourd tend à osciller toujours dans
la même direction alors que sous lui la
Terre tourne ; de sorte que c'est le
pendule qui paraît changer de direction.

Vous pouvez réaliser vous-même cette
expérience avec une ficelle (la plus
longue possible) et un poids (le plus
lourd possible). On suspend une
extrémité de la ficelle en haut d'un
escalier, par exemple, en essayant
d'éviter toutes vibrations. La trajectoire
du pendule est marquée au départ sur
une simple feuille. En revenant plus tard,
vous constaterez l'apparent changement
de direction.

Ficelle (6 m de long au moins)

▲ **Un pendule de Foucault** au
Muséum des Sciences de
Londres. Le pendule est long d'au
moins 25 m et le poids pèse
13,5 kg.

Poids (5 kg au moins)

A

B

TRAJECTOIRE APPARENTE D'ORION

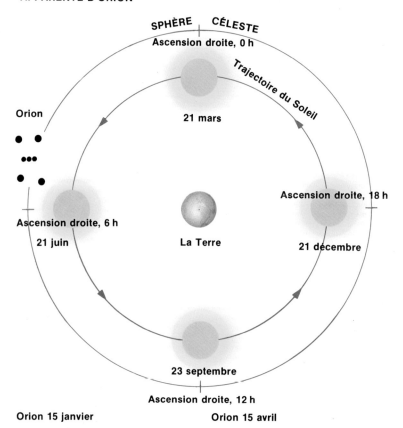

SPHÈRE CÉLESTE

Ascension droite, 0 h

Trajectoire du Soleil

21 mars

Orion

Ascension droite, 18 h

Ascension droite, 6 h

21 juin

La Terre

21 décembre

23 septembre

Ascension droite, 12 h

Orion 15 janvier

Observateur

Orion 15 avril

Observateur

24

Les constellations et les saisons

Le trajet annuel de la Terre autour du Soleil fait que notre étoile nous paraît faire un tour de la sphère céleste par an. Cela a une influence sur la façon dont nous voyons les constellations puisqu'elles ne sont pas visibles de jour.

Le croquis de gauche, par exemple, décrit le mouvement apparent du Soleil au cours de l'année et ce qu'il en résulte pour la fameuse constellation d'Orion. En juin, le Soleil se trouve dans la direction d'Orion : la constellation est éclairée, donc invisible pour nous. En août, le mouvement orbital de la Terre a déplacé le Soleil vers l'est d'Orion qui se « lève » alors avant l'aube. En plein hiver, le Soleil paraît opposé à Orion que l'on peut alors observer à minuit. En avril, le Soleil s'est rapproché par l'ouest et Orion disparaît à nouveau au coucher du Soleil.

Il en est de même pour toutes les constellations. A cause du mouvement de la Terre autour du Soleil, certaines seront visibles en hiver, d'autres en été seulement.

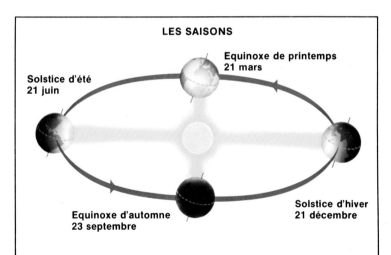

LES SAISONS

**Equinoxe de printemps
21 mars**

**Solstice d'été
21 juin**

**Equinoxe d'automne
23 septembre**

**Solstice d'hiver
21 décembre**

Si l'axe de la Terre était vertical, le Soleil dominerait exactement l'Equateur. Mais cet axe est incliné dans une direction fixe, formant un angle de 23°30, avec la verticale.

Le 21 juin, le pôle nord est incliné vers le Soleil : c'est la mi-été dans l'hémisphère nord, la mi-hiver dans l'hémisphère sud. Le 21 décembre, la situation est inversée. Entre ces dates, c'est le printemps ou l'automne selon l'hémisphère où l'on se trouve.

Lumière des étoiles

Soleil

Observateur

Observateur

Orbite de la Terre

Sens de rotation de la Terre

Jour 1

Jour 2

Jour solaire, jour sidéral

Sur Terre, la vie est rythmée par la succession de jours et de nuits et c'est le Soleil qui nous sert de point de repère. Le *jour solaire* normal correspond à l'intervalle de temps séparant deux midis ou deux minuits successifs — le temps qu'il faut à la Terre pour faire un tour sur elle-même — soit 24 heures.

Mais comme la Terre tourne autour du Soleil en même temps que sur elle-même, le jour solaire ne correspond pas à la période de rotation de la Terre dans l'espace par rapport aux étoiles.

Voyons le schéma de gauche. Au jour 1, il est midi pour l'un des observateurs, minuit pour l'autre. Un *jour sidéral* plus tard (jour 2), il n'est plus tout à fait midi ni minuit car la Terre s'est un peu déplacée sur son orbite et il lui faudra pivoter un peu plus pour parvenir à la même situation par rapport au Soleil.

Les astronomes règlent leurs télescopes de façon que ceux-ci accomplissent un tour autour de leur axe polaire en un jour sidéral (23 h 56 mn). L'amateur, lui, devra se souvenir que, chaque mois, les constellations se retrouveront dans la même position deux heures plus tôt et que, chaque nuit, les étoiles paraîtront se lever quatre minutes plus tôt (voir p. 68 comment, à partir de l'heure sidérale, déterminer quelles constellations sont bien placées pour être observées).

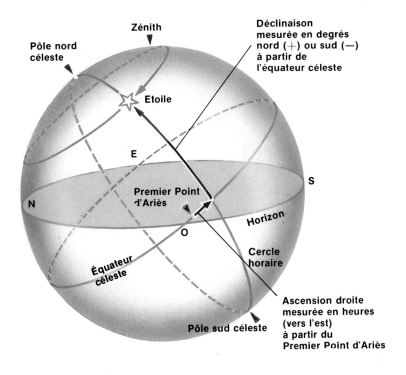

Zénith

Pôle nord céleste

Déclinaison mesurée en degrés nord (+) ou sud (−) à partir de l'équateur céleste

Etoile

E

Premier Point d'Ariès

S

N

O

Horizon

Cercle horaire

Équateur céleste

Pôle sud céleste

Ascension droite mesurée en heures (vers l'est) à partir du Premier Point d'Ariès

COORDONNÉES CÉLESTES

Sur Terre, on peut trouver sur une carte la position d'une ville ou d'une rivière dont on connaît la latitude et la longitude. On utilise un système semblable pour déterminer la position d'un corps sur la sphère céleste mais la latitude est appelée *déclinaison,* notée *delta* (δ) et la longitude *ascension droite,* notée *alpha* (α). C'est ce qu'on appelle les coordonnées célestes ou astronomiques d'une étoile.

La déclinaison est mesurée en degrés nord (positive) ou sud (négative) à partir de l'équateur céleste — la ligne qui divise la sphère céleste en deux moitiés, dans le plan de l'équateur terrestre.

L'ascension droite est mesurée en heures sidérales, de 0 à 24, vers l'est, à partir de 0 h, soit l'ascension droite du Soleil le premier jour du printemps dans l'hémisphère nord (21 mars).

Les constellations et le Soleil

Contrairement aux étoiles, le Soleil, la Lune et les planètes se déplacent sur la sphère céleste. Le parcours apparent du Soleil est appelé *écliptique*. C'est là projection sur la sphère céleste du plan défini par l'orbite de la Terre. L'écliptique croise l'équateur céleste selon un angle égal à l'inclinaison de l'axe de la Terre, soit 23°30'.

Les plans des orbites de la Lune et des planètes coïncident assez étroitement avec celui de la Terre, de sorte que l'on peut toujours les découvrir à quelques degrés de l'écliptique, dans une bande appelée *zodiaque*. Cette bande compte douze constellations : le Bélier, le Taureau, les Gémeaux, le Cancer, le Lion, la Vierge, la Balance, le Scorpion, le Sagittaire, le Capricorne, le Verseau et les Poissons : le Soleil, la Lune et les planètes les traversent successivement.

▼ **Cette carte** montre le parcours du Soleil, ou écliptique, sur la sphère céleste. Sa position le premier jour de chaque mois est indiquée par une courbe jaune. On découvre toujours les planètes dans la bande du zodiaque, proche de l'écliptique.

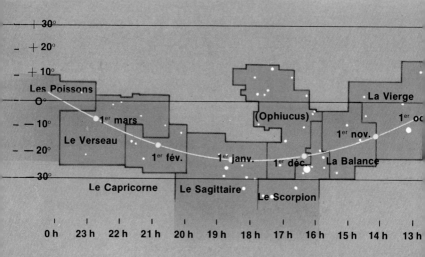

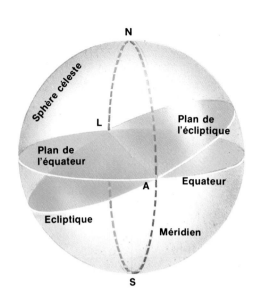

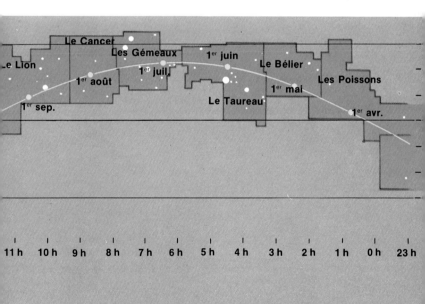

Le Soleil — notre étoile

Le Soleil n'a rien d'extraordinaire sinon qu'il est proche de nous ; il en est un quart de million de fois plus proche que la plus proche des autres étoiles, ce qui nous permet de l'examiner beaucoup plus en détail que ses voisines. L'astronomie solaire est un sujet particulièrement important et les amateurs peuvent, **à condition de prendre certaines précautions** (voir pp. 36-37), trouver grand intérêt à étudier la surface du Soleil.

Le mouvement quotidien du Soleil et son déplacement sur la sphère céleste étaient connus bien avant les débuts de l'astronomie et les fermiers se basaient sur la position du Soleil pour savoir quand faire les semailles. Comme il a été montré en page 25, les saisons sont le résultat de l'inclinaison de l'axe de la Terre. Ce phénomène a également des conséquences sur la position du Soleil au fil de l'année. En hiver, par exemple, il n'est jamais aussi haut dans le ciel qu'en été et les points de l'horizon auxquels il se lève et se couche varient avec les saisons.

▼ **La course quotidienne du Soleil** dans le ciel varie avec les saisons.

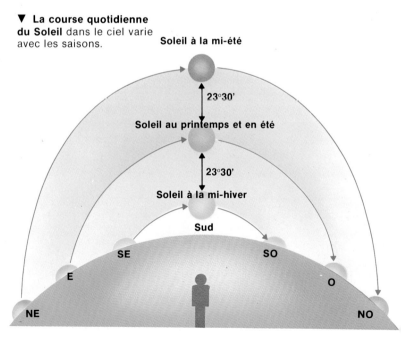

Soleil à la mi-été

23°30'

Soleil au printemps et en été

23°30'

Soleil à la mi-hiver

Sud

SE

SO

E

O

NE

NO

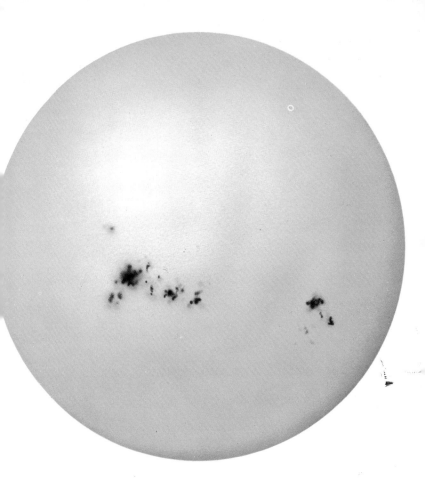

CARACTÉRISTIQUES DU SOLEIL

Diamètre : 1 392 000 kilomètres (109 fois celui de la Terre)
Masse : 328 900 fois celle de la Terre
Volume : 1 300 000 fois celui de la Terre
Température de la surface : 6 000 °C
Température du centre : environ 15 000 000 °C
Période de rotation réelle : 25,38 jours
Période de rotation apparente : 27,28 jours
Distance moyenne de la Terre : 149 600 000 kilomètres
Année cosmique : 225 millions d'années
Age présumé : 4 600 millions d'années

Le temps et le Soleil

L'ombre portée sur un cadran solaire donne l'heure approximative — une heure qui n'est jamais exacte puisque le Soleil se déplace de quelques degrés en est ou en ouest de sa « vraie » position.

Et cela, surtout parce que l'orbite de la Terre est légèrement elliptique et que la vitesse orbitale de la planète varie, de sorte que le Soleil nous paraît avancer plus ou moins vite. On règle donc les horloges sur une heure solaire moyenne, celle du méridien de Greenwich (heure

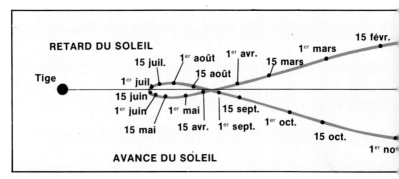

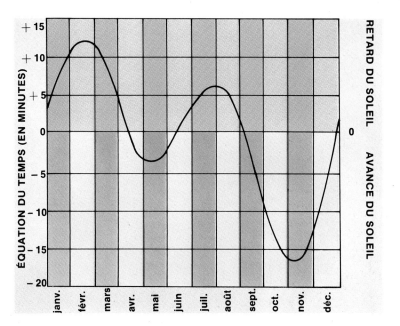

GMT), ou sur une heure universelle (UT). La différence entre cette heure et celle qu'indique un cadran solaire est donnée par la courbe de l'*équation du temps* (voir ci-dessus).

Des cadrans solaires simples

Le plus simple des cadrans

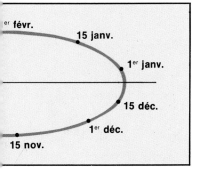

solaires se compose d'une tige fichée dans le sol. Quand l'ombre pointe exactement vers le nord (ou le sud pour l'hémisphère sud), c'est le Midi Apparent. La table de l'équation du temps donnera le Midi Vrai, mais un midi qui ne coïncidera avec l'heure solaire moyenne que si le cadran se trouve exactement sur l'un des méridiens de référence.

En été, l'ombre portée par la tige est plus courte qu'en hiver. Si l'on repère la position de l'extrémité de l'ombre portée pendant une année, on obtiendra une courbe similaire à celle de gauche : une *méridienne*.

On trouvera en page 168 des conseils permettant de réaliser un cadran solaire plus sophistiqué.

Taches solaires et cycle du Soleil

Si le Soleil brille depuis des milliards d'années, sa surface ou *photosphère* subit d'incessants changements. Des taches sombres y vont et viennent selon un cycle moyen de 11 ans. La forme de la faible atmosphère du Soleil, ou *couronne,* que l'on ne voit que lors des éclipses totales, semble également obéir à ce cycle.

L'apparition des taches solaires est liée à l'existence d'importants champs magnétiques à la surface du Soleil. L'intérieur d'une tache solaire est un millier de degrés plus froid que la photosphère mais encore plus brûlant que la surface de nombre d'étoiles ; il ne paraît sombre que par contraste.

Si l'on projette sur un écran l'image d'une tache solaire on voit que celle-ci est composée d'un centre sombre (l'*ombre*) entouré d'une zone plus claire (la *pénombre*). Les taches apparaissent souvent par deux, voire par dizaines. Un groupe bien développé peut persister pendant des semaines, voire des mois et s'étaler sur un diamètre égal à dix fois celui de la Terre. Au stade d'activité maximale des taches, on peut apercevoir simultanément des dizaines de groupes.

▼ **Les groupes de taches solaires** peuvent être dix fois plus gros que la Terre. Ils révèlent souvent deux centres d'activité.

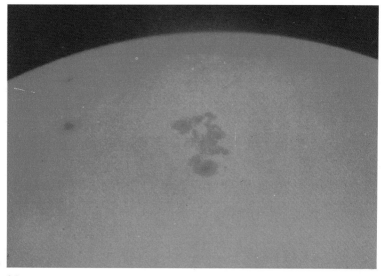

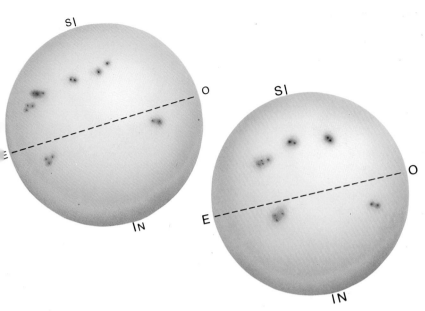

▲ Ces reproductions du Soleil ont été obtenues par projection de l'image à travers des jumelles, les 14 et 16 juin 1981. La ligne en pointillé représente l'équateur du Soleil.

▼ Le Soleil vu par projection à travers des jumelles. Un simple support de bois maintient le papier bien immobile.

Observer le Soleil

Il est très dangereux de fixer directement le Soleil, à l'œil nu comme à travers un télescope ou des jumelles, et on a vu des gens devenir aveugles pour l'avoir fait. Certaines radiations émises par le Soleil sont capables de détruire les nerfs sensitifs de l'œil en quelques secondes.

Heureusement, il existe un excellent moyen d'observer les taches solaires : c'est de projeter l'image du Soleil sur une feuille de papier blanc, et ce, en utilisant un télescope ordinaire (réflecteur ou réfracteur) ou une paire de jumelles.

On fixe la feuille de papier à une certaine distance de l'oculaire (30 cm, par exemple) et l'on manœuvre la mollette de mise au point jusqu'à obtenir une image nette. Plus on reculera la feuille, plus l'image sera grosse.

Pour qu'on en distingue bien les détails, l'image doit être projetée en lumière directe. Une boîte de projection (à droite), dont une face sera percée d'un trou, vous donnera une image éclatante mais un simple pare-soleil peut également convenir. La boîte de projection est particulièrement utile dans le cas où l'on veut projeter une image très grossie car elle permet d'augmenter le contraste.

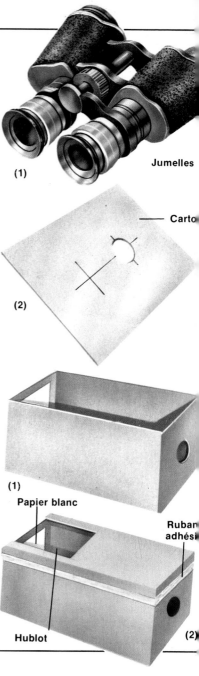

Jumelles

(1)

Carto

(2)

(1)

Papier blanc

Ruban adhési

Hublot

(2)

Une paire de jumelles permet de voir quantité de taches solaires (1).

Pour fabriquer un pare-soleil, reporter la forme des lentilles sur une feuille de carton et l'évider comme indiqué (2).

Fixer le carton à l'aide de ruban adhésif (3).

Poser les jumelles sur une chaise, près d'une fenêtre, et projeter l'image du Soleil sur un écran blanc (4).

Rideaux

Pare-soleil

(4)

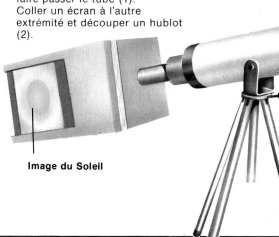

Papier blanc

(3) Ruban adhésif

Pour la projection à travers un télescope, une boîte à chaussures convient très bien. Prévoir sur une face un trou où faire passer le tube (1). Coller un écran à l'autre extrémité et découper un hublot (2).

Fixer la boîte au tube et régler l'image (3).

(3)

Image du Soleil

Notes d'observation

L'observation des taches solaires est, ou devrait être, un exercice quotidien. La méthode la plus simple consiste à compter les groupes visibles. A la fin de chaque mois, on fait le total des groupes observés — total que l'on divise par le nombre de jours d'observation pour obtenir la Fréquence Quotidienne Moyenne (MDF) du mois.

Une autre activité intéressante consiste à dessiner le disque solaire avec ses taches. Le moyen le plus simple est de confectionner une grille (ci-contre) sur laquelle on projette l'image du Soleil. On note alors la position des taches sur la grille et on reporte celles-ci sur une feuille de papier où l'on a dessiné le disque solaire ; elle doit être suffisamment mince pour qu'on puisse voir par transparence une grille, identique à la première, placée dessous.

Il est primordial d'indiquer sur le disque les points cardinaux. Pour cela, le télescope restant fixe, laisser dériver sur l'écran l'image projetée et faire pivoter la grille jusqu'à ce que les taches se déplacent bien sur une ligne est-ouest : l'image est alors correctement orientée.

▼ **Un réflecteur** utilisé pour projeter l'image du Soleil. Cette méthode permet à plusieurs personnes d'observer les taches en même temps.

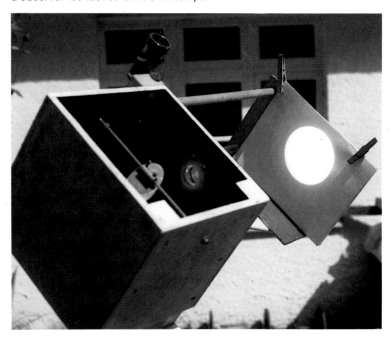

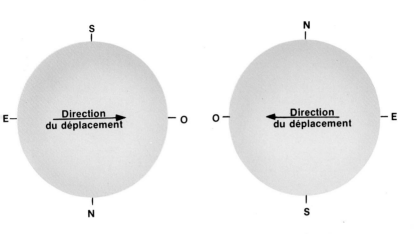

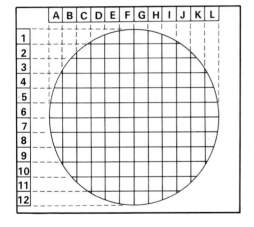

▲ **Orientation de l'image** projetée selon qu'on utilise des jumelles ou un télescope (image inversée). Pour les observateurs de l'hémisphère sud, inverser le sens.

◄ **Grille de protection** permettant de repérer la position des taches.

▼ **Activité des taches solaires** enregistrée par l'auteur grâce à un réfracteur de 90 mm.

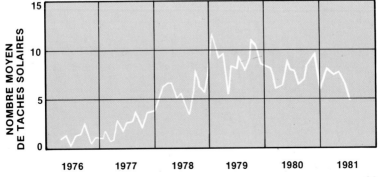

Les éclipses de Soleil

▶ **Lors d'une éclipse totale,** on voit la couronne du Soleil.

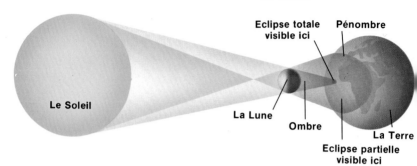

Eclipse totale visible ici — Pénombre — Le Soleil — La Lune — Ombre — La Terre — Eclipse partielle visible ici

Par une étrange coïncidence, le Soleil et la Lune semblent avoir à peu près la même taille dans le ciel. Lorsque la Lune passe devant le disque solaire, elle peut nous le cacher complètement. C'est alors l'obscurité et la faible atmosphère extérieure du Soleil, ou couronne, brille autour de la forme sombre de la Lune pendant les quelques secondes, ou minutes, que dure l'éclipse totale.

Pour observer une éclipse totale, il faut se trouver à l'intérieur de l'ombre portée de la Lune sur la surface de la Terre — une ombre large de quelques centaines de kilomètres. A l'extérieur de cette *ombre* centrale s'étend la vaste *pénombre* d'où l'on peut observer une éclipse partielle.

Outre la pâle couronne, on peut fréquemment observer autour du bord de la Lune les *protubérances* rouges, ces colossales éruptions de gaz brûlants qui surgissent de l'atmosphère du Soleil. Un spectacle inoubliable !

TABLE DES ÉCLIPSES SOLAIRES TOTALES		
Date	Durée maximale	Zone de visibilité
31 juil. 1981	2 mn 03 s	URSS, Pacifique Nord,
11 juin 1983	5 mn 11 s	Océan Indien, Inde, Océan Pacifique
22-23 nov. 1984	1 mn 59 s	Inde, Pacifique Sud
12 nov. 1985	1 mn 55 s	Pacifique Sud, Antarctique
29 mars 1987	0 mn 56 s	Océan Atlantique
18 mars 1988	3 mn 46 s	Océan Indien, Inde, Océan Pacifique
22 juil. 1990	2 mn 33 s	Finlande, URSS, Océan Pacifique

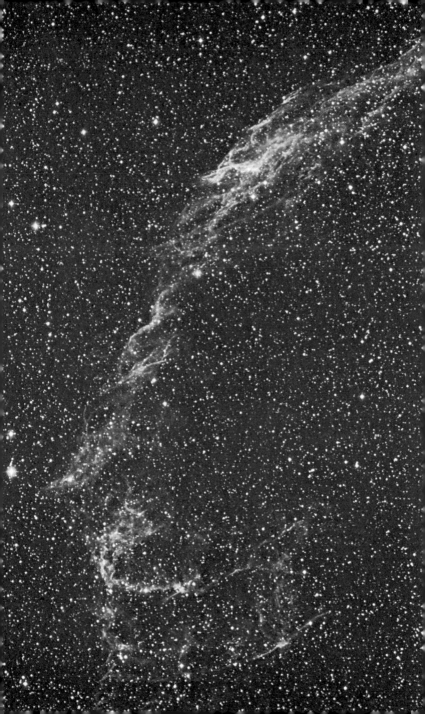

Les étoiles

Quand on lève les yeux par une nuit claire, il semble bien vain, devant ces myriades de scintillements, de vouloir retrouver des constellations, mais la première impression que l'on peut avoir est que certaines étoiles sont beaucoup plus éclatantes que d'autres.

De fait, cette simple constatation fournit déjà un résultat important. A supposer que les étoiles possèdent toutes la même luminosité, le même éclat absolu, cela signifierait que les plus faibles doivent être beaucoup plus éloignées de nous que les plus brillantes, tout comme un lampadaire proche par rapport à celui du bout de la rue. Par contre, si l'on suppose que les étoiles se trouvent toutes à la même distance, cela veut dire que celles qui nous semblent briller le plus fort sont réellement plus brillantes que les autres.

Les premiers astronomes qui croyaient les étoiles fixées à une même sphère invisible avaient clairement opté pour la seconde hypothèse. Mais l'un des premiers hommes à avoir étudié sérieusement les étoiles — William Herschel (qui, en 1781, découvrit la planète Uranus) — avait choisi l'hypothèse selon laquelle les étoiles étaient également brillantes ; à partir de quoi il tenta d'évaluer leurs distances relatives en mesurant leur éclat.

De fait, aucune de ces deux théories n'est exacte. Certaines étoiles sont un million de fois plus lumineuses que d'autres et les plus proches de nous en sont des milliers de fois plus proches que les étoiles les plus lointaines qui aient été détectées dans la Galaxie.

Eclat et magnitude

L'éclat d'une étoile se mesure en *magnitude*. Une étoile de 1re magnitude, par exemple, est 2,512 fois plus brillante qu'une étoile de 2e magnitude et ainsi de suite. Ainsi, une étoile de 6e magnitude est-elle 100 fois moins brillante qu'une étoile de 1re magnitude. Certaines étoiles sont si brillantes qu'on utilise des degrés de magnitude négatifs.

◄ **La Nébuleuse de la Dentelle,** dans le Cygne ; une énorme « bulle » de matière laissée par la très ancienne explosion d'une étoile. Elle mesure aujourd'hui quelque cinq fois le diamètre de la Lune.

La *magnitude apparente* désigne l'éclat d'une étoile dans le ciel. Les plus faibles étoiles visibles à l'œil nu sont de magnitude 6 (mag 6) ; la plus brillante, Sirius, est de magnitude — 1,47. Les plus faibles étoiles détectables par un télescope de 150 mm sont de magnitude 13 environ, soit quelque 600 000 fois plus faibles que Sirius.

La *magnitude absolue* indique la luminosité d'une étoile ; c'est la magnitude apparente qu'aurait cette étoile vue d'une distance de 32,6 années-lumière (on appelle année-lumière (a-l) la distance parcourue par la lumière en un an, soit 9 460 000 000 000 km). Les plus lumineuses des étoiles connues sont de magnitude — 7 environ. Le Soleil a une magnitude absolue de 4,8, c'est-à-dire qu'il est quelque 40 000 fois plus faible.

Les distances dans le ciel

Les distances nous séparant des étoiles sont si importantes qu'en comparaison, la lointaine Pluton est à portée de main. Si, par exemple, l'on représentait le Soleil par une balle de ping-pong, Pluton serait un grain de poussière situé à 150 m de la balle alors que la plus proche des étoiles en serait distante de quelque 1 000 km.

▼ **Les formes** que dessinent les étoiles ne révèlent pas leur véritable distribution dans le ciel. Les étoiles formant la constellation d'Orion et qui nous apparaissent comme ci-dessous à gauche sont, en fait, situées à des distances très diverses du Soleil (ci-dessous à droite).

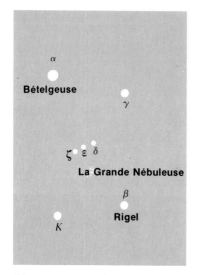

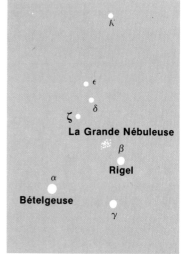

LES ÉTOILES LES PLUS BRILLANTES

Etoile	Constellation	Magnitude app.	Magnitude abs.	Type	Distance (en a-l)
Sirius (α)	le Grand Chien	−1,47	1,4	Naine	8,7
Canopus (α)	la Carène	−0,7	−3,3	Supergéante	110
Rigil Kent (α)	le Centaure	−0,3	4,4	Naine	4,3
Arcturus (α)	le Bouvier	−0,1	−0,3	Géante	36
Véga (α)	la Lyre	0,0	0,6	Naine	26
Rigel (β)	Orion	0,1	−7,0	Supergéante	850
Capella (α)	le Cocher	0,1	−0,6	Géante	45
Procyon (α)	le Petit Chien	0,3	2,6	Subgéante	11
Achernar (α)	le Fleuve Eridan	0,5	−1,6	Subgéante	75
Hadar (β)	le Centaure	0,6	−4,4	Géante	330
Altair (α)	l'Aigle	0,8	1,9	Géante	16
Acrux (α)	la Croix	0,8	−3,9	Subgéante	280
Bételgeuse (α)	Orion (var.)	0,8	−5,5	Supergéante	650
Aldébaran (α)	le Taureau	0,9	−0,3	Géante	65
Spica (α)	la Vierge	1,0	−3,5	Naine	260
Antarès (α)	le Scorpion (var.)	1,1	−4,5	Supergéante	430
Pollux (β)	les Gémeaux	1,15	0,2	Géante	35
Fomalhaut (α)	le Poisson Austr.	1,2	1,7	Naine	23
Mimosa (β)	la Croix	1,2	−5,0	Géante	570
Deneb (α)	le Cygne	1,3	−7,0	Supergéante	1 500

Les étoiles sont de tailles très variables. Les naines blanches mourantes (voir p. 49) sont trop petites pour figurer sur le schéma ci-contre. Le Soleil est beaucoup plus petit que des géantes comme Antarès ou des supergéantes comme Bételgeuse qui ont été comme gonflées par la pression interne. Leur densité moyenne équivaut à peu près au millième de celle de l'air que nous respirons.

Il faut se rappeler que la masse d'une étoile (la quantité de matière qui la compose) est loin d'être proportionnelle à son diamètre. Même une grosse étoile comme Bételgeuse, dont le volume équivaut à des millions de fois celui du Soleil, ne représente que vingt fois la masse de celui-ci.

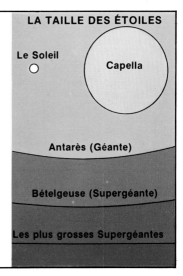

LA TAILLE DES ÉTOILES

Le Soleil

Capella

Antarès (Géante)

Bételgeuse (Supergéante)

Les plus grosses Supergéantes

45

Puisque la luminosité des étoiles est extrêmement variable, on ne peut pas se baser sur leur éclat pour en déduire à quelle distance de nous elles se trouvent. Pourtant, certaines étoiles proches constituent une indication précieuse pour les astronomes. En effet, des mesures soigneuses montrent qu'elles changent lentement de position par rapport aux constellations. Toutes les étoiles de la Galaxie filent dans l'espace à des vitesses de plusieurs kilomètres par seconde, et plus elles sont proches, plus ce mouvement devient perceptible.

Connu sous le nom de *mouvement propre,* ce déplacement des étoiles permet de déterminer la distance de la Terre à l'étoile. Malheureusement, ce déplacement est souvent trop peu important pour être mesurable.

LES ÉTOILES LES PLUS PROCHES

Etoile		Constellation	Magnitude app.	Magnitude abs.	Type	Distance en (a-l)	Mouvement propre en "/ siècle
Proxima		le Centaure	10,7	15,1	Naine	4,3	387
Rigil	A	le Centaure	0,0	4,4	Naine	4,3	367
Kent (α)	B	le Centaure	1,4	5,8	Naine	4,3	367
Etoile de Barnard		Ophiucus	9,5	13,2	Naine	5,2	1 030
Wolf 359		le Lion	13,5	16,7	Naine	7,6	467
Lalande 21185		la Grande Ourse	7,5	10,5	Naine	8,1	477
Sirius	A	le Grand Chien	−1,5	1,4	Naine	8,7	307
(α)	B	le Grand Chien	8,5	11,4	Naine blanche	8,7	307
UV	A	la Baleine	12,5	15,3	Naine	8,9	336
	B	la Baleine	13,0	15,8	Naine	8,9	336
Ross 154		le Sagittaire	10,6	13,3	Naine	9,5	74
Ross 248		Andromède	12,2	14,7	Naine	10,3	182
ε		le Fleuve Eridan	3,7	6,1	Naine	10,7	98
Ross 128		la Vierge	11,1	13,5	Naine	10,8	136
Luyten 789-6		le Verseau	12,2	14,6	Naine	10,8	327
61	A	le Cygne	5,2	7,5	Naine	11,2	520
	B	le Cygne	6,0	8,4	Naine	11,2	520
ε		l'Oiseau indien	4,7	7,0	Naine	11,2	469
Procyon	A	le Petit Chien	0,3	2,6	Sub-géante	11,4	125
(α)	B	le Petit Chien	10,8	13,1	Naine blanche	11,4	125

Les lettres A et B font, respectivement, référence aux composantes brillante et faible d'une étoile double (voir p. 52)

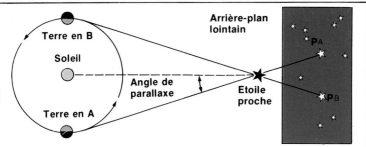

▲ **Mesurer la distance nous séparant d'une étoile à partir de l'angle de parallaxe.** En six mois, la Terre s'est déplacée de la position A à la position B et l'étoile paraît avoir dérivé de P_A à P_B. Connaissant la distance de la Terre au Soleil (l'Unité Astronomique) et l'angle de parallaxe, on peut calculer la distance de la Terre à l'étoile.

Cette méthode est valable pour les étoiles distantes de moins de 100 années-lumière. Pour les autres, le calcul de la distance est basé sur la comparaison entre magnitude apparente et magnitude absolue.

▼ **Ce schéma** donne une idée des tailles relatives du Soleil et de sa plus proche compagne, ainsi que de trois planètes et de la Lune — les distances n'étant pas reproduites à l'échelle.

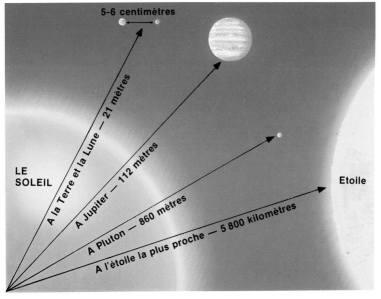

Comment brillent les étoiles

Si les étoiles brillent, c'est à cause des réactions nucléaires qui s'y produisent. La plupart d'entre elles sont composées d'hydrogène. La terrifiante pression qui règne au centre fait s'élever la température à des millions de degrés. Sous l'effet de cette chaleur, les atomes d'hydrogène se fractionnent, pour se combiner à nouveau en atomes d'hélium. L'énergie dégagée au cours de cette transformation permet au processus de se répéter aussi longtemps qu'il y a de l'hydrogène.

Certaines étoiles sont, néanmoins, beaucoup plus chaudes que d'autres et de la température d'une étoile va dépendre sa couleur. Une étoile sera blanche si sa température de surface avoisine les 50 000 °C, rouge si elle est inférieure à 3 000 °C. Le Soleil, avec une température de 6 000 °C, est jaunâtre.

Le diagramme de Hertzsprung-Russell (ci-contre), dans lequel les étoiles sont classées selon leur température de surface et leur magnitude absolue, met en évidence des familles d'étoiles. La plus importante ou *Série Principale* regroupe la grande majorité des étoiles à savoir les *naines,* par opposition aux *géantes* et aux *supergéantes.* Les *naines blanches* sont petites, denses et si faibles qu'on n'en a encore découvert que très peu.

Le diagramme de Hertzsprung-Russell pourrait être comparé à la photographie d'une foule : il met en évidence les différences entre individus. Il a fallu très longtemps aux astronomes pour réaliser les relations existant entre ces divers types d'étoiles.

LE SPECTRE DE LA LUMIÈRE DES ÉTOILES

Lorsque l'on fait passer la lumière provenant des étoiles à travers un spectroscope — un instrument qui la décompose en une bande diversement colorée —, on constate généralement la présence dans le *spectre* obtenu d'un certain nombre de lignes sombres. La bande colorée est produite par la surface brillante de l'étoile alors que les raies foncées indiquent que les portions de couleur correspondantes ont été absorbées par des éléments présents dans son atmosphère ténue.

En reproduisant en laboratoire un spectre strié des mêmes raies, les astronomes déterminent de quels éléments il s'agit.

TEMPÉRATURE

40 000 °C 30 000 °C 10 000 °C 7 500 °C 6 000 °C 4 900 °C 3 500 °C 2 400 °C

MAGNITUDE ABSOLUE

8 — SUPERGÉANTES - Ia

Naos Saiph Rigel Aludra Deneb Wezen Bételgeuse

Mimosa Adhara Canopus SUPERGÉANTES - Ib Mirfak Étoile polaire Enif Suhail Antarès

Spica Gacrux

Achernar GÉANTES BRILLANTES - II Almach

Regulus Algol Pollux Capella Dubhe Aldébaran Kocab Mira

Véga Castor GÉANTES - III Arcturus SUBGÉANTES-IV

Sirius A

Fomalhaut Altaïr Procyon A

SÉRIE PRINCIPALE Rigil Kent Soleil α du Centaure B

ε du Fleuve Eridan 61 du Cygne A

61 du Cygne B

Sirius B Etoile de Kapteyn Lalande 21185

NAINES BLANCHES Procyon B Etoile de Barnard Ross 128

Etoile de Van Maanen Proxima du Centaure

0 5 0 5 0 5 0 5 0 5 0 5 0 5
O B A F G K M

TYPE SPECTRAL

LE DIAGRAMME DE HERTZSPRUNG-RUSSELL

Les étoiles brillantes reçoivent souvent un nom : Sirius, par exemple. D'autres sont identifiées par une lettre grecque ou un nombre, suivi du nom de la constellation à laquelle appartient l'étoile, en français ou en latin. On trouvera écrit, par exemple : α du Centaure ou α Centauri, 61 du Cygne ou 61 Cygni. L'alphabet grec est donné en page 52.

Quelques rares étoiles se sont vu attribuer le nom de l'astronome qui les a étudiées : l'étoile de Barnard, par exemple...

Vie et mort d'une étoile

Les étoiles se forment à partir de nuages de gaz et de poussière appelés nébuleuses. Quand elle est devenue suffisamment dense, la nébuleuse commence à se condenser en nombreux nuages, sombres au début mais qui se mettent à briller en se réchauffant : des étoiles sont nées.

Au début de leur vie, la plupart des étoiles — tel le Soleil — sont à classer dans la Série Principale. Mais au fur et à mesure que leur hydrogène brûle, leur noyau se réchauffe et elles s'entourent d'une enveloppe de gaz relativement froids : elles sont alors devenues des géantes rouges comme Aldébaran et Bételgeuse. Finalement, l'enveloppe disparaît ne laissant que le noyau blanc parce que très chaud : on a affaire à une naine blanche tel Sirius B. Une étoile brillante du type de Deneb accomplit son évolution en quelques millions d'années alors que le Soleil, beaucoup plus faible, restera dans la Série Principale pendant des centaines de millions d'années.

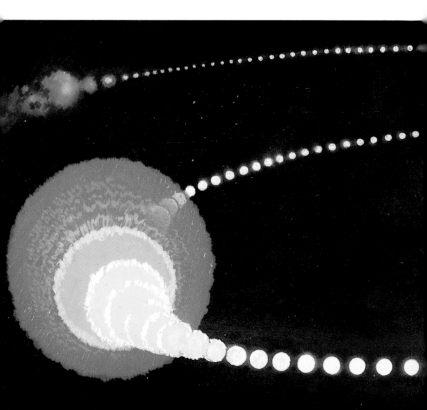

▶ **Le Soleil** est une étoile ordinaire de la Série Principale. La transformation des atomes d'hydrogène en atomes d'hélium s'opère dans le noyau avec un énorme dégagement d'énergie.

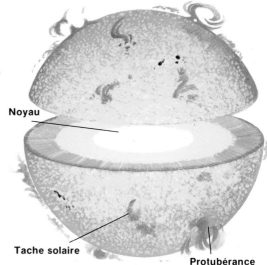

Noyau

Tache solaire

Protubérance

▼ **Une étoile normale** se forme à partir d'un nuage sombre qui se condense. Elle brille régulièrement pendant un certain temps puis évolue en géante rouge et meurt enfin en minuscule naine blanche. Une étoile très massive peut achever son existence en explosion de supernovæ.

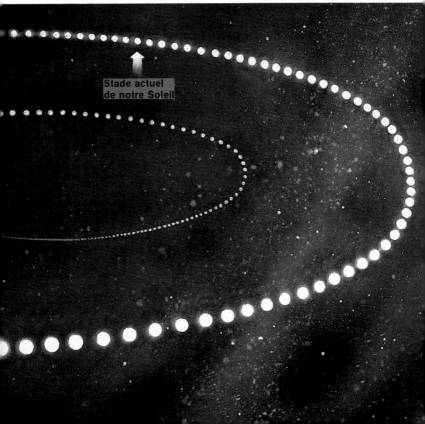

Stade actuel de notre Soleil

φ **du Taureau**   η **de Cassiopée**   β **du Cygne**

Les étoiles doubles

Si l'on observe l'étoile Zêta (ς) dans la constellation de la Grande Ourse (carte d'étoiles 1, p. 78), on remarquera auprès d'elle une étoile moins lumineuse : Alcor. Nous avons affaire à une étoile double visible à l'œil nu. A travers un télescope, on notera que Zêta (plus connue sous le nom de Mizar) est elle-même double.

En fait, Mizar et Alcor sont très éloignées l'une de l'autre mais presque dans la même direction. On dit qu'on a affaire à une *binaire visuelle*. Mizar, par contre, est une véritable binaire composée de deux étoiles qui tournent l'une autour de l'autre bien qu'il leur faille 14 000 ans pour accomplir une révolution complète. L'étoile la plus brillante d'une binaire est appelée primaire, la plus faible : secondaire.

On mesure la distance entre les composantes d'une étoile double en secondes d'arc ("). Il y a 60" dans une minute d'arc (') et 60' dans un degré. Vu à une distance de 12 m, un cheveu humain mesure 1" d'épaisseur. De bonnes jumelles permettent de séparer des étoiles doubles dont les composantes sont distantes de 30" seulement. La binaire Béta du Cygne (p. 85), par exemple, constitue un excellent test pour les observateurs de l'hémisphère nord.

COMMENT ON DÉSIGNE LES ÉTOILES

Dans chaque constellation, on attribue à chacune des étoiles les plus brillantes une lettre grecque, par ordre approximativement décroissant d'éclat à partir de α. L'alphabet grec est donné ci-dessous :

α alpha	η êta	ν nu	τ tau
β bêta	θ thêta	ζ xi	υ upsilon
γ gamma	ι iota	σ omicron	φ phi
δ delta	κ cappa	π pi	χ chi
ε epsilon	λ lambda	ρ rhô	Ψ psi
ς zêta	μ mu	ς sigma	ω ôméga

Certaines binaires sont si proches qu'aucun télescope ne peut les séparer et seul leur spectre permet alors de détecter leur nature double.

Béta de Persée (Algol) est un exemple de *binaire à éclipses* constituée d'une étoile brillante et d'une autre faible. Sur le croquis de droite, la lumière de deux étoiles atteint la Terre en 1 .18 heures plus tard (2), l'étoile faible cache partiellement la plus brillante et la magnitude de l'ensemble baisse. En 3, soit un jour et demi plus tard, c'est l'étoile faible qui est éclipsée et on observe une baisse d'éclat.

Autre binaire à éclipses visible à l'œil nu, Béta de la Lyre est constituée de deux étoiles d'éclat égal qui se « touchent » presque. La variation de lumière est alors continue. Ces deux types de binaires constituent une classe particulière d'étoiles variables. On en connaît des centaines.

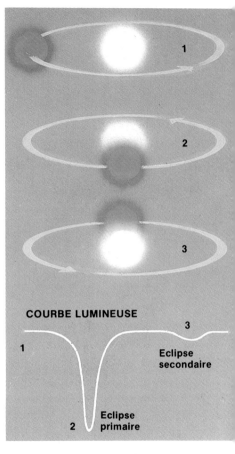

COURBE LUMINEUSE

1

3

Eclipse secondaire

2 Eclipse primaire

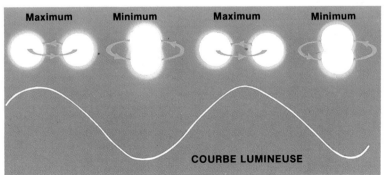

Maximum Minimum Maximum Minimum

COURBE LUMINEUSE

Les étoiles variables

Les binaires à éclipses sont dites *extrinsèquement variables* puisque l'éclat de leurs composantes ne varie pas. Par contre, les étoiles dont l'éclat varie en raison d'énormes pulsations internes sont dites *intrinsèquement variables.*

Les *céphéides* constituent un groupe bien connu d'étoiles variables. Il s'agit de géantes jaunes dont l'éclat oscille très régulièrement entre deux magnitudes extrêmement précises et selon une périodicité régulière. En repérant sa période, on peut déterminer la magnitude absolue moyenne d'une céphéide ; en comparant cette magnitude absolue avec la magnitude apparente de l'étoile, il est possible de calculer à quelle distance elle se trouve.

Les *variables à longue période* sont des géantes rouges dont la période est beaucoup plus longue que celle des céphéides — de 200 à 500 jours — et dont la variation d'éclat peut atteindre 10 degrés de magnitude. Ainsi, par exemple, Mira Ceti — la Merveilleuse de la Baleine — qui, à son maximum, est aussi brillante que l'Etoile Polaire alors qu'à son minimum elle est à peine visible à la jumelle. Les variables à longue période atteignent leur éclat maximal plus rapidement qu'elles ne pâlissent ensuite.

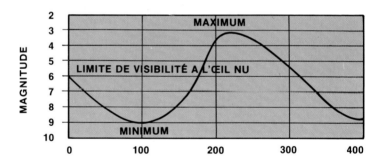

▲ **Cette courbe lumineuse** d'une variable à longue période (σ Ceti, ou Mira) montre comment son éclat augmente et diminue.

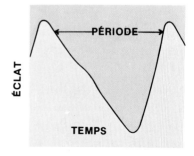

▶ **Chez les céphéides,** les variations d'éclat sont identiques d'un cycle à l'autre. Plus l'étoile est lumineuse, plus la période de la variation est longue.

L'observation des étoiles variables

L'observation des étoiles variables est très populaire chez les astronomes amateurs qui tentent d'évaluer la magnitude de telle ou telle d'entre elles en la comparant à des étoiles *de référence* dont la magnitude leur est connue.

Il y a plusieurs manières de procéder. Par exemple, on choisit deux étoiles de référence, l'une plus brillante, l'autre plus faible que la variable et l'on essaie d'apprécier comment cette dernière se situe par rapport à elles du point de vue de l'éclat : c'est la *méthode fractionnelle.* Avec un peu d'habitude, on parvient à une précision de magnitude de 0,2.

Dans la *méthode des pas,* l'amateur s'exerce d'emblée à reconnaître des pas de magnitude de 0,1 et évalue alors de combien de pas la variable diffère par rapport à une étoile de référence.

L'observation des étoiles variables est un travail important car il est impossible aux professionnels d'étudier toutes les variations du ciel.

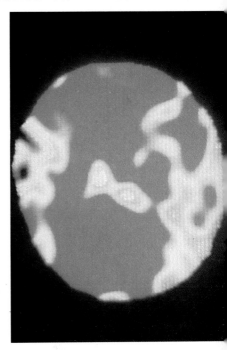

▲ **Comme beaucoup de géantes rouges,** l'éclat de Bételgeuse varie légèrement au fil des ans. La photo ci-dessus a été traitée par ordinateur.

▶ **Cette carte** présente les étoiles les plus brillantes de Céphée (p. 84), dont les étoiles servant de référence pour la fameuse variable δ (Delta).

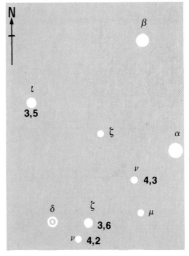

55

Novæ et supernovæ

Certaines étoiles varient de manière aussi violente qu'imprévisible. On appelle *nova* une étoile faible qui se met soudain à briller de façon éclatante. Ce phénomène résulte, en fait, de l'explosion de l'étoile. Lorsqu'une étoile se transforme en nova, son éclat peut se multiplier par 10 000 environ en l'espace de deux jours.

La formation de novæ n'est pas rare et certains amateurs, équipés de simples jumelles, s'adonnent à la recherche des novæ. Ainsi, par exemple, G.E.D. Alcock de Peterborough (Angleterre) qui en a découvert quatre depuis 1967. Lorsqu'on connaît bien le ciel, il n'est pas difficile d'y repérer la présence subite d'un nouvel astre.

Les *supernovæ* sont plus rares. Elles sont le résultat de l'auto-destruction totale d'une étoile massive. L'éclat d'une supernova peut rivaliser avec celui d'une galaxie tout entière. La dernière a été observée dans la Voie Lactée en 1604 ; celle de 1572 était visible en plein jour, et ce que nous appelons la Nébuleuse du Crabe constitue les restes de la supernova de 1054. Au cours de l'explosion, la supernova est réduite en pièces, laissant derrière elle des étoiles à neutrons, plus petites et plus denses que les naines blanches (voir p. 162).

▲ **La Nébuleuse du Crabe** est formée des restes de la supernova de 1054, une explosion équivalente à celle de 1 million de millions de millions de millions de bombes H.

▶ **Devenue visible** à l'œil nu en 1901, la nova de Persée n'est plus aujourd'hui qu'une pâle nébulosité.

LES DIVERS TYPES D'ÉTOILES VARIABLES

Etoile	Magnitude	Période	N° de carte
Binaires à éclipses			
ε du Cocher	3,0 — 4,0	27,1 ans	3
ζ du Cocher	3,8 — 4,3	972 jours	3
β de la Lyre	3,3 — 4,2	12,9 jours	7
β de Persée (Algol)	2,2 — 3,2	69 heures	3
Céphéides			
η de l'Aigle	4,1 — 5,4	7,2 jours	7
δ de Céphée	3,5 — 4,3	5,4 jours	1
β de la Dorade	3,8 — 4,8	9,8 jours	8
Variables à longue période			
σ de la Baleine (Mira)	3 — 10	330 jours	2
χ du Cygne	4 — 14	406 jours	7
Variables irrégulières			
ρ de Cassiopée	4 — 6	—	1
μ de Céphée	4 — 5	—	1
α d'Hercule (Rasalgéthi)	3 — 4	—	6
α d'Orion (Bételgeuse)	0,4 — 1,3	5 ans ?	3
α du Scorpion (Antarès)	0,9 — 1,8	5 ans ?	6
Autres variables			
γ de Cassiopée	1,7 — 2,4	(généralement faible)	1
T de la Couronne Boréale	2 — 10	(généralement faible)	6
R de la Couronne Boréale	6 — 14	(généralement brillante)	6

Nébuleuses et amas d'étoiles

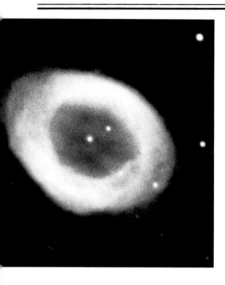

La Nébuleuse de l'Anneau (à gauche) a été expulsée par une étoile. Celles de la Tête de Cheval (ci-dessus) et d'Orion (à droite) indiquent la position d'étoiles en formation.

Le mot nébuleuse vient du latin *nebula* qui signifie brume. Le ciel compte nombre de corps qui rappellent, en effet, des masses brumeuses mais qu'il ne faut pas confondre avec un nuage terrestre : alors qu'un nuage de pluie de 1 m pèse quelque 100 g, une nébuleuse d'un volume égal à celui de la Terre ne pèserait, elle, que quelques kilogrammes !

Comme la plupart des composants de l'univers, une nébuleuse est constituée en majorité d'hydrogène, pur ou en composés avec de l'azote, du carbone, de l'oxygène et d'autres éléments. On compte grossièrement quatre types de nébuleuses :

Les *nébuleuses planétaires* sont des enveloppes de gaz expulsés d'étoiles très chaudes. Le qualificatif de planétaires leur vient de ce que, vues à travers un télescope, certaines d'entre elles ont la forme d'un disque. Elles sont généralement de petite taille — moins d'une année-lumière de diamètre — et la plupart du temps faibles. M57, dans la Lyre, en constitue un excellent exemple (Carte d'étoiles 7).

Les *nébuleuses à réflection* sont ainsi nommées parce qu'elles réfléchissent la lumière de leurs étoiles. Elles sont généralement faibles. Un exemple : les Pléiades dans la constellation du Taureau (Carte d'étoiles 3).

Les nébuleuses à émission forment d'énormes nuages irréguliers larges de dizaines d'années-lumière à l'intérieur desquels se forment des étoiles. C'est la réaction de leurs atomes aux radiations émises par les étoiles proches et très chaudes qui les fait briller. Un exemple : M8 dans le Sagittaire (Carte d'étoiles 7).

Les nébuleuses obscures ne se remarquent que parce qu'elles masquent les étoiles situées derrière elles. Les contours de la Voie Lactée sont irréguliers car une nébuleuse obscure occulte certaines étoiles. M42, dans Orion (Carte d'étoiles 3), est une nébuleuse obscure.

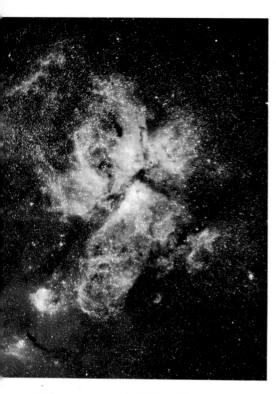

◀ **La Nébuleuse du Trou de Serrure** est présentement en train de donner naissance à un amas d'étoiles.

▶ **Les Pléiades** sont un jeune amas (probablement moins de 100 millions d'années). Ses six ou sept étoiles les plus brillantes sont visibles à l'œil nu ; ce sont des géantes blanches, des milliers de fois plus brillantes que le Soleil. On n'y trouve encore ni géantes rouges ni naines blanches.

Les amas d'étoiles

Dans l'espace, les étoiles ont tendance à se former en groupes plutôt qu'individuellement. Ainsi, on suppose que le Soleil faisait autrefois partie de l'un de ces groupes que l'on appelle amas. A l'intérieur de l'amas, chaque étoile a son mouvement propre et, sauf dans le cas d'amas très compacts dans lesquels l'attraction maintient le groupe serré, les étoiles s'éloignent les unes des autres pendant des millions d'années.

On assiste en permanence à la formation de tels *amas ouverts* — ainsi dans M42, d'Orion, où de jeunes étoiles sont actuellement en formation. Les amas intéressent énormément les astronomes car ils comptent divers types d'étoiles, toutes du même âge. On a dénombré jusqu'ici, dans la seule Voie Lactée, quelque 300 amas ouverts.

C'est en examinant sa population que l'on peut déterminer l'âge probable d'un amas. S'il contient beaucoup d'étoiles très chaudes c'est qu'il est jeune, si l'on y trouve des géantes rouges où des naines blanches c'est qu'il est vieux.

61

Les *amas globulaires* sont très différents. À peu près aussi vieux que notre Galaxie, ils contiennent de nombreuses géantes rouges. Ils peuvent s'étendre sur des centaines d'années-lumière et leur population se compte en centaines de milliers d'étoiles. On a dénombré quelque 100 amas globulaires dans la Voie Lactée (et beaucoup d'autres dans d'autres galaxies) qui forment un halo autour de notre système stellaire.

Pour observer les amas d'étoiles
A condition que le ciel soit très sombre, on peut observer à l'œil nu amas ouverts comme amas globulaires. Les jumelles, bien sûr, vous offriront une bonne image de certains des plus vastes amas ouverts. Avec une ouverture de 60 à 150 mm, on en découvrira de superbes.

Il faut se souvenir que si rien ne vaut une photographie prise au télescope pour observer les détails des amas ou des nébuleuses, rien non plus ne remplace le spectacle des étoiles scintillant dans l'oculaire.

▶ **Le Grand Amas d'Hercule** (en haut, à droite) est l'un des amas globulaires les plus proches. Il compte quelque cinq cent mille étoiles.

▶ **Oméga du Centaure,** le plus beau, peut-être, des amas globulaires, est situé nettement au sud de l'équateur céleste. Il est aisément visible à l'œil nu.

◀ **La Nébuleuse du Sac à Charbon** occulte certaines étoiles de la Voie Lactée.

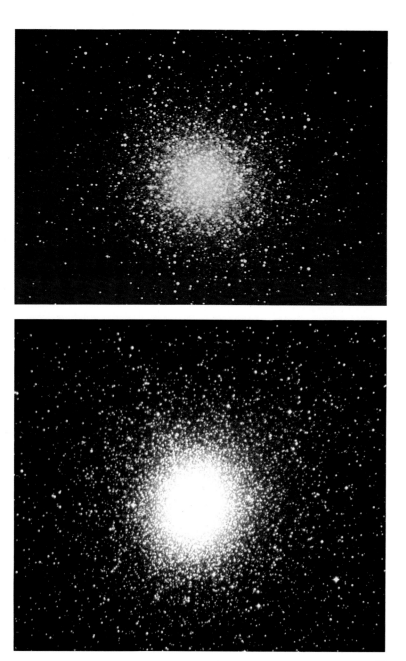

Les constellations

Les constellations sont des groupements imaginaires d'étoiles. Inventées autrefois par les hommes qui voulaient cartographier le ciel, elles restent encore un bon moyen de reconnaître les étoiles. Dans ce chapitre, on trouvera décrites les principales des 88 constellations, toutes portées sur les cartes. Les étoiles les plus brillantes ou les plus importantes sont identifiées par leur nom ou par une lettre et, pour chaque constellation, l'abréviation usuelle qui la désigne est indiquée.

Nébuleuses, amas et galaxies ont reçu soit un numéro (précédé de la lettre « M ») dans le catalogue de Messier (1781) — M42, par exemple, pour la Grande Nébuleuse d'Orion —, soit un nombre seul dans le Nouveau Catalogue Général (NGC) de 1888 — par exemple, le Double Amas de Persée porte les numéros 869 et 884.

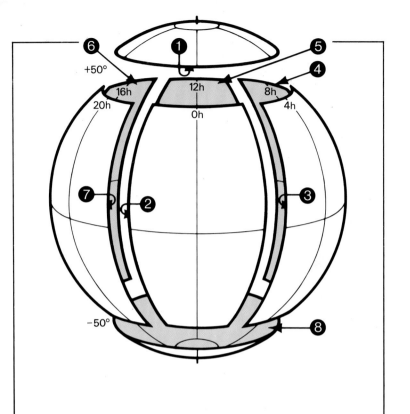

+50°

16h   12h   8h

20h   4h

0h

6 · 1 · 5 · 4

7 · 2 · 3

−50°   8

COMMENT UTILISER LES CARTES D'ÉTOILES

Les cartes des pages 70 à 79 représentent l'intégralité de la sphère céleste, divisée en six segments équatoriaux et deux régions circumpolaires (voir croquis ci-dessus).

1 δ + 50° du pôle N
2 α 22 h - 2 h
3 α 2 h - 6 h
4 α 6 h - 10 h   δ + 50°
5 α 10 h - 14 h   à —50°
6 α 14 h - 18 h
7 α 18 h - 22 h
8 δ —50° du pôle S

Sont portés sur ces cartes toutes les étoiles de magnitude au moins égale à 4,5, ainsi qu'amas, nébuleuses, etc... généralement beaucoup plus faibles que les étoiles figurant sur ces cartes. Dans le cas de corps célestes difficiles à repérer, on a ajouté certaines cartes supplémentaires.

De même pour les étoiles variables, on trouvera ici des cartes où sont portées les magnitudes des étoiles de référence.

La bande bleu clair désigne la trajectoire de la Voie Lactée et certaines des irrégularités les plus évidentes de cette trajectoire — irrégularités causées principalement par des nébuleuses obscures.

Pour trouver une étoile

De prime abord, les petits points portés sur les cartes paraissent n'avoir qu'un lointain rapport avec le champ d'étoiles qui occupe la voûte céleste ; pour éviter des déceptions, mieux vaut commencer par chercher à repérer les étoiles les plus brillantes. Une fois familiarisé avec celles-ci, vous aurez moins de mal à vous diriger au milieu des diverses constellations.

La Grande Ourse et Orion, très bien connues, peuvent servir à repérer d'autres groupes d'étoiles. Si la Grande Ourse est à chercher toujours dans la partie nord du ciel, Orion se trouve au niveau de l'équateur céleste. C'est entre septembre et avril que ces constellations sont les plus visibles. La région de la Grande Ourse est répertoriée sur les cartes 1 et 5, Orion sur la carte 3.

Les croquis ci-contre indiquent comment utiliser les divers alignements d'étoiles de ces deux constellations. Mais si ce travail de repérage vous pose un problème, vous pourrez toujours utiliser la méthode systématique indiquée ci-dessous.

Où regarder

Tous les corps célestes sont à leur hauteur maximale au moment où ils traversent le *méridien* (la ligne nord-sud qui passe au-dessus de la tête de l'observateur). A moins d'être proche du pôle céleste, le corps sera situé plein sud pour l'observateur de l'hémisphère nord, et plein nord pour celui de l'hémisphère sud.

GRANDE OURSE

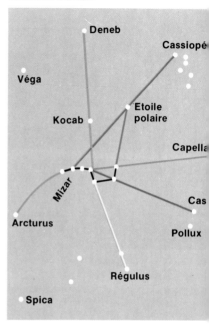

ORION

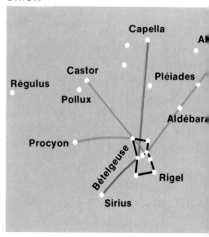

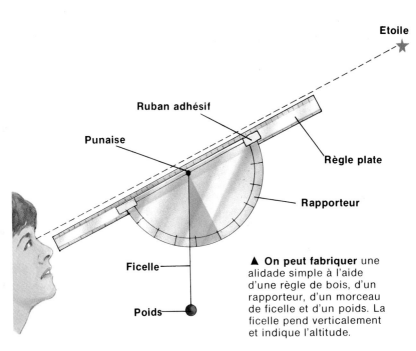

Etoile

Ruban adhésif

Punaise

Règle plate

Rapporteur

Ficelle

Poids

▲ **On peut fabriquer** une alidade simple à l'aide d'une règle de bois, d'un rapporteur, d'un morceau de ficelle et d'un poids. La ficelle pend verticalement et indique l'altitude.

Dans les notes qui suivent les cartes d'étoiles, relever la déclinaison de la plus brillante étoile de la constellation ainsi que la *colatitude* ($90°$ moins la latitude) de votre lieu d'observation.

En ajoutant à ce résultat la déclinaison de l'étoile, vous obtiendrez l'altitude de l'étoile au-dessus de l'horizon au moment où elle traverse le méridien. C'est l'angle selon lequel vous devez pointer votre alidade.

N'oubliez pas que si l'étoile a une déclinaison sud, vous devrez soustraire le nombre du complément. Si vous vivez au sud de l'équateur, la déclinaison sud sera positive, la déclinaison nord, négative, et vous devrez alors faire vos additions et soustractions en conséquence.

VÊTEMENTS ET ÉQUIPEMENT

Même par une tiède nuit d'été, il est essentiel de prévoir un vêtement chaud avant de s'installer pour une longue observation immobile si vous ne voulez pas risquer de voir votre enthousiasme rapidement rafraîchi.

Une bonne capacité d'adaptation de l'œil à l'obscurité est également essentielle. Il faut dix minutes, au moins, à l'œil pour s'acclimater ; aussi, vérifiez bien que vous n'avez rien oublié d'essentiel à l'intérieur.

Le mieux est de travailler en lumière faible et rouge. Si même le feu arrière de votre bicyclette est trop fort, essayez de peindre en rouge le verre d'une torche ordinaire.

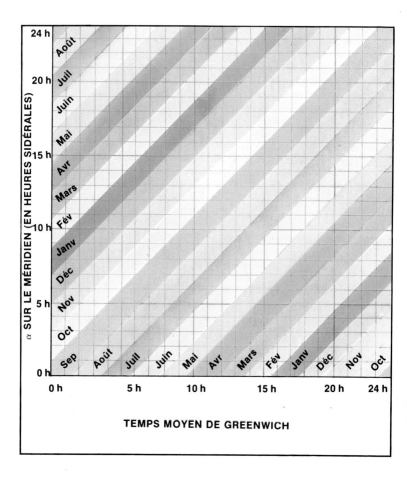

α SUR LE MÉRIDIEN (EN HEURES SIDÉRALES)

TEMPS MOYEN DE GREENWICH

Dater les observations

S'il faut savoir *où* chercher, il faut aussi savoir *quand*. Au fur et à mesure que la Terre tourne, les divers corps célestes passent par le méridien. L'Heure Sidérale (ST) donne l'ascension droite sur le méridien à n'importe quel moment.

Par exemple, Régulus (Alpha du Lion) est à 10 h 06 mn d'as-cension droite ; il se trouve donc au méridien juste après 10 h ST. Pour convertir les heures sidé-rales en heures GMT, il suffit d'utiliser la table de conversion ci-dessus. Pour une observation effectuée le 31 janvier, par exem-ple, 10 h 06 mn équivaudront à 01 h 30 mn GMT ; Régulus sera au méridien à 01 h 30 mn. (Noter que si, en France comme en

Angleterre, on utilise l'heure GMT, dans d'autres parties du monde, on utilisera le système local.) C'est en mars que l'on observe le mieux le Lion. Ainsi, le 31 mars, Régulus sera au méridien à 21 h 30 mn GMT.

Une fois identifiées les quelques étoiles très brillantes, vous n'aurez pas grand mal en vous aidant des cartes à combler les vides. Choisissez une constellation et étudiez-la en détails, en vous aidant, si nécessaire, d'un almanach du ciel, jusqu'à savoir identifier toutes les étoiles visibles à l'œil nu. S'il s'agit d'une constellation de la Voie Lactée,

accoutumez-vous à rechercher les novæ.

Rares sont les amateurs, même expérimentés, capables de reconnaître plus d'une vingtaine d'étoiles brillantes, mais grâce à des observations systématiques, vous pourrez en identifier des centaines.

Enfin, achetez un carnet et reportez-y tout ce que vous avez observé en notant soigneusement la date et l'heure de vos observations. Ce journal pourra se révéler très utile par la suite.

▼ Un exemple de journal d'observations.

Carte d'étoiles 1 -
Étoiles circumpolaires boréales

ASCENSION DROITE

9h

8h

7h

(LYNX)

50°

6h

60°

β

5h

4h

PERSEUS

α

3h

ASCENSION DRO

▲ Le Grand Chariot ou Grande Ourse
(Ursa Major), la plus célèbre constellation
de l'hémisphère boréal, photographiée à
l'aide d'un appareil compact et avec un
temps d'exposition de quelques secondes.

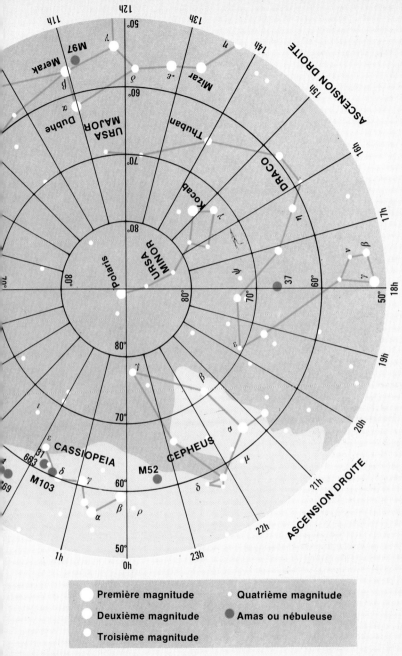

Première magnitude   Quatrième magnitude

Deuxième magnitude   Amas ou nébuleuse

Troisième magnitude

71

Carte d'étoiles 2 - Ascension droite 22 heures - 2 heures

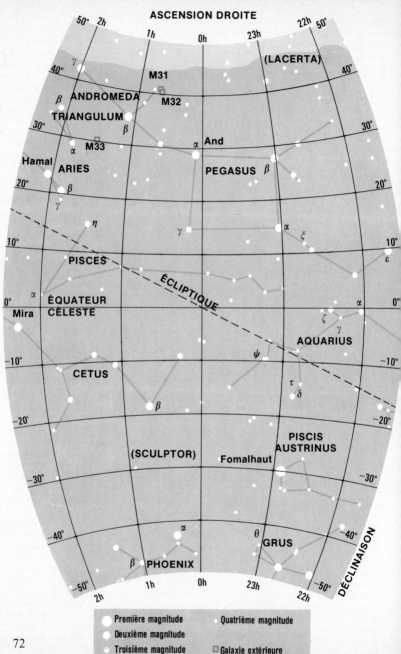

ASCENSION DROITE

(LACERTA)

M31
M32

ANDROMEDA

TRIANGULUM

M33

Hamal

ARIES

α And

PEGASUS

η

PISCES

ÉCLIPTIQUE

α

ÉQUATEUR CÉLESTE

Mira

AQUARIUS

ψ

CETUS

τ
δ

(SCULPTOR)

PISCIS AUSTRINUS

Fomalhaut

θ

GRUS

α

β

PHOENIX

DÉCLINAISON

Première magnitude · Quatrième magnitude
Deuxième magnitude
Troisième magnitude □ Galaxie extérieure

Carte d'étoiles 3 - Ascension droite 2 heures - 6 heures

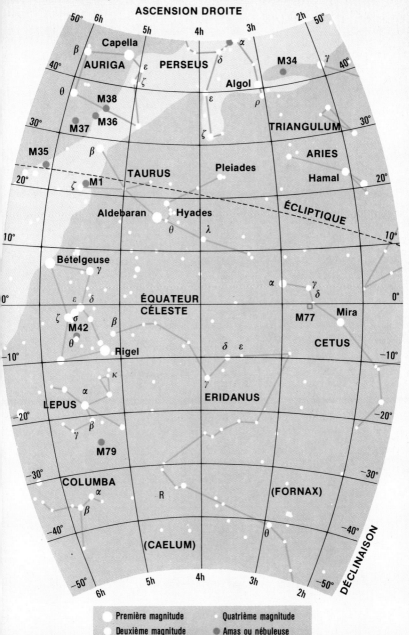

ASCENSION DROITE

50° 6h — 5h — 4h — 3h — 2h 50°

Capella β — 40° AURIGA PERSEUS α — 40° M34 γ

θ — 30° M38 Algol — 30° TRIANGULUM
M37 M36 ε ρ

M35 β — ARIES
20° TAURUS Pleiades Hamal 20°
ζ M1 ÉCLIPTIQUE

Aldebaran Hyades
10° θ λ 10°

Bételgeuse
γ
0° ε δ ÉQUATEUR α γ 0°
CÉLESTE δ
ζ σ M77 Mira
M42 β CETUS
-10° θ Rigel δ ε -10°

κ
α γ
LEPUS ERIDANUS
-20° γ β -20°

M79

-30° COLUMBA -30°
α R (FORNAX)
β

-40° θ -40°
(CAELUM)

-50° 6h 5h 4h 3h 2h -50°

DÉCLINAISON

○ Première magnitude	· Quatrième magnitude
○ Deuxième magnitude	● Amas ou nébuleuse
· Troisième magnitude	□ Galaxie extérieure

73

Carte d'étoiles 4 - Ascension droite 6 heures - 10 heures

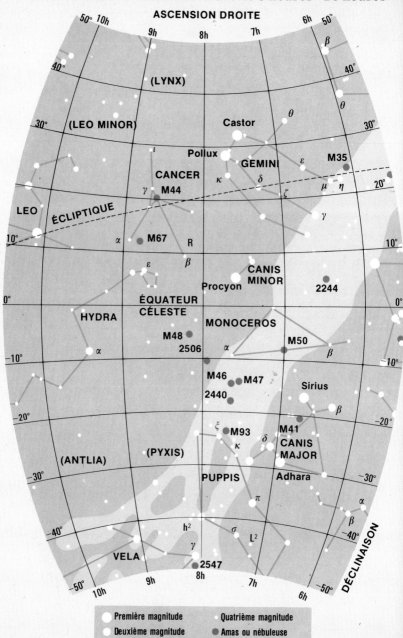

ASCENSION DROITE

(LYNX)

(LEO MINOR)

Castor

Pollux

GEMINI

CANCER
M44

LEO

ÉCLIPTIQUE

M67

CANIS
MINOR

2244

Procyon

ÉQUATEUR
CÉLESTE

HYDRA

MONOCEROS

M48
2506

M50

M46 M47
2440

Sirius

M93

M41
CANIS
MAJOR

(ANTLIA)

(PYXIS)

PUPPIS

Adhara

VELA

2547

DÉCLINAISON

Première magnitude   Quatrième magnitude

Deuxième magnitude   Amas ou nébuleuse

Troisième magnitude

74

Carte d'étoiles 5 - Ascension droite 10 heures - 14 heures

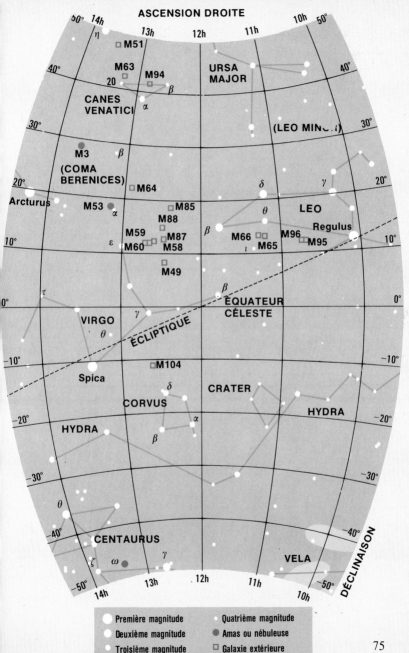

ASCENSION DROITE

14h · 13h · 12h · 11h · 10h

η

☐ M51

M63
20 ☐ M94
β

**CANES
VENATICI**

α

● M3

**(COMA
BERENICES)**

β

☐ M64

Arcturus

M53 ● α

δ γ

☐ M85

**URSA
MAJOR**

(LEO MINOR)

θ

LEO

M88
☐

M59 ☐ M87
ε ☐☐☐ M58
M60

M87

β

M66 ☐☐
ι M65

M96
M95

Regulus

☐ M49

τ

β

**ÉQUATEUR
CÉLESTE**

γ

VIRGO
θ

ÉCLIPTIQUE

Spica

δ

☐ M104

CRATER

CORVUS

α

HYDRA

HYDRA

β

θ

CENTAURUS

ζ ω γ

VELA

DÉCLINAISON

14h · 13h · 12h · 11h · 10h

50° 40° 30° 20° 10° 0° -10° -20° -30° -40° -50°

○ Première magnitude · Quatrième magnitude

○ Deuxième magnitude ● Amas ou nébuleuse

○ Troisième magnitude ☐ Galaxie extérieure

75

Carte d'étoiles 6 - Ascension droite 14 heures - 18 heures

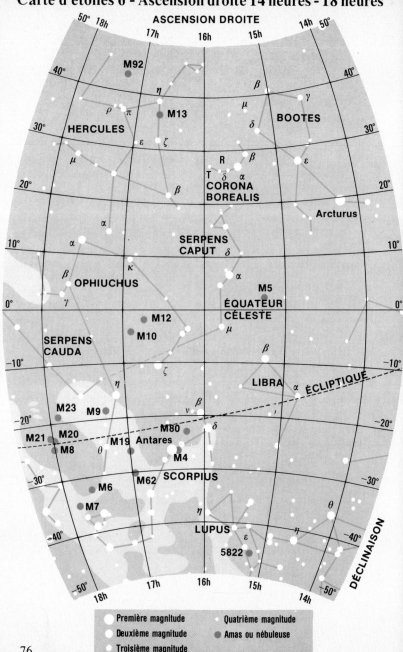

ASCENSION DROITE

M92

η

ρ π M13

HERCULES

ε ζ

μ

β

α

α

β OPHIUCHUS

γ

κ

SERPENS
CAUDA

M12

M10

ζ

η

M23 M9

M21 M20

M8 M19 Antares

θ

M6

M7

β

μ

δ

BOOTES

β

R

T δ α
CORONA
BOREALIS

SERPENS
CAPUT δ

α

M5

ÉQUATEUR
CÉLESTE

μ

β

LIBRA α ÉCLIPTIQUE

ν β

M80 δ

M4

M62 SCORPIUS

η

γ

ε

Arcturus

θ

LUPUS

ε

5822

η

DÉCLINAISON

Première magnitude   Quatrième magnitude
Deuxième magnitude   Amas ou nébuleuse
Troisième magnitude

76

Carte d'étoiles 7 - Ascension droite 18 heures - 22 heures

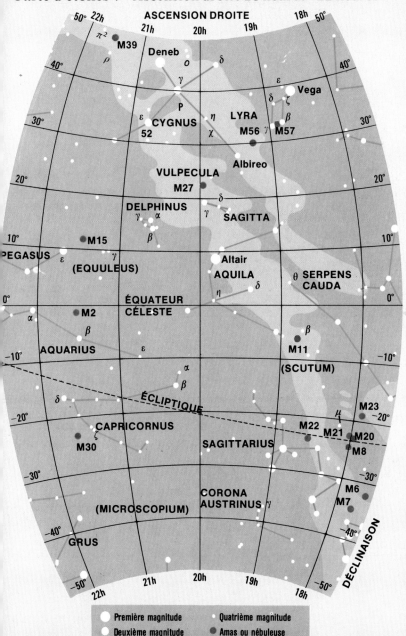

ASCENSION DROITE

Première magnitude
Deuxième magnitude
Troisième magnitude
Quatrième magnitude
Amas ou nébuleuse
Galaxie extérieure

Carte d'étoiles 8 -
Étoiles circumpolaires australes

▲ **La Croix du Sud,** une vision fabuleuse parmi les étoiles circumpolaires de l'hémisphère austral.

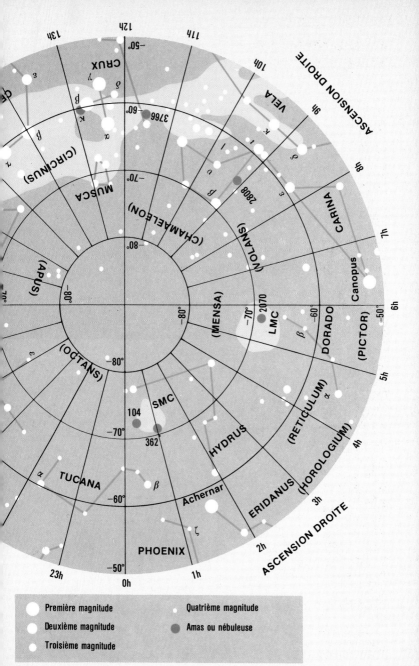

⬤ Première magnitude	• Quatrième magnitude
⬤ Deuxième magnitude	⬤ Amas ou nébuleuse
○ Troisième magnitude	

79

Notes d'observations sur les diverses constellations

On trouvera sur les diverses cartes les étoiles et autres corps mentionnés dans ces notes. Il s'agit, pour la plupart, de corps visibles à la jumelle mais le spectacle des nébuleuses et des amas sera, évidemment, plus impressionnant si l'on utilise un puissant télescope.

Andromeda, Andromède (And, Carte d'étoiles 2). Cette vaste constellation compte la fabuleuse Nébuleuse d'Andromède,

▼ **L'amas globulaire M2,** dans le Verseau, est l'un des corps les plus lointains de la Galaxie qui soit visible à la jumelle.

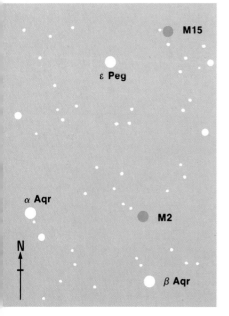

M31, aisément visible à l'œil nu lorsque le ciel est sombre ; avec des jumelles, on découvre sa brumeuse compagne : la galaxie M32. Toutes deux sont distantes d'environ deux millions d'années-lumière. α (Alpheratz) : $\alpha = 0$ h 06 mn, $\delta = +29°$; mag 2.

Apus, l'Oiseau de Paradis (Aps, Carte d'étoiles 8). Un groupe très faible proche du pôle sud. α : $\alpha = 14$ h 42 mn, $\delta = -79°$; mag 3,8.

Aquarius, le Verseau (Aqr, Cartes d'étoiles 2 et 7). Cette constellation du zodiaque ne compte que deux étoiles brillantes mais le petit groupe d'étoiles faibles entourant ζ a une forme particulière. La carte ci-contre permet de localiser l'amas globulaire M2 qui, à la jumelle, apparaîtra sous forme d'une petite tache brumeuse (diam. : 100 années-lumière environ ; distance : 55 000 années-lumière). L'étoile τ de magnitude 4 est une binaire visible à la jumelle. α (Sadalmélik) : $\alpha = 22$ h 03 mn, $\delta = -1/2°$: mag 2,9 ; c'est l'une des étoiles brillantes les plus proches de l'équateur céleste.

Aquila, l'Aigle (Aql, Carte d'étoiles 7). Un groupe remarquable de la Voie Lactée dont l'étoile la plus brillante, Altaïr, est l'une des plus proches voisines du Soleil (16 années-

▲ **Le champ d'étoiles** entourant Altaïr, dans l'Aigle. La plupart de ces étoiles sont plus brillantes que le Soleil.

lumière de distance seulement). η Aql est une céphéide brillante (voir p. 54). Beau champ d'étoiles près de δ. α (Altaïr): α = 19 h 48 mn, δ = + 8 1/2° ; mag 0,8.

Ara, l'Autel (Ara, Carte d'étoiles 8). Un groupe compact situé dans la région sud de la Voie Lactée. β : α = 17h 21 mn, δ = —55 1/2° ; mag 2,8.

Aries, le Bélier (Ari, Carte d'étoiles 3). Un groupe petit et assez faible mais repérable parce que ayant peu d'étoiles proches. α (Hamal): α = 2 h 04 mn, δ = + 23° ; mag 2,0.

Auriga, le Cocher (Aur, Carte d'étoiles 3). Une magnifique constellation située dans une portion assez faible du nord de la Voie Lactée. Elle compte trois importants amas ouverts : M36, M37 et M38, tous visibles à la jumelle. ε et ς sont des variables à éclipses à une composante obscure (voir p. 53) ; un minimum de ε a été observé en juillet 1982. α (Capella) : α = 5 h 13 mn, δ = +46° ; mag 0,1.

Bootes, le Bouvier (Boo, Carte d'étoiles 6). Un groupe en forme de cerf-volant dont la queue compte le brillant et rougeâtre

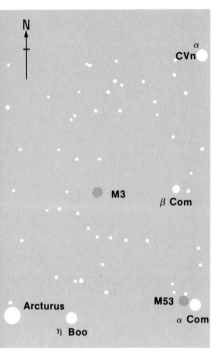

N

α
CVn

M3   β **Com**

Arcturus   **M53**

α **Com**

η **Boo**

▲ **M3,** brillant amas globulaire des Chiens de Chasse, est situé sur une ligne joignant α CVn à Arcturus, dans le Bouvier.

Arcturus. δ a un compagnon de mag 9 situé à presque 2' à l'est. α (Arcturus) : α = 14 h 13 mn. δ = — 19 1/2° ; mag — 0,1.

Cancer, le Cancer (Cnc, Carte d'étoiles 4).
Un groupe du zodiaque, faible, intéressant parce qu'englobant l'amas brillant de Praesepe (M44), tache brumeuse visible à l'œil nu. Praesepe est probablement plus vieux que les Pléiades, dans le Taureau, car il ne

contient pas d'étoiles blanches lumineuses ; toutes ses étoiles sont des naines de la série principale ou des géantes rouges. De 15 années-lumière de large, ce groupe est distant de nous de 500 années-lumière. M67 est plus vieux encore. β : α = 8 h 14 mn, δ = + 9 1/2° ; mag 3,5.

Canis Major, le Grand Chien (CMa, Carte d'étoiles 4).
Un groupe brillant de la Voie Lactée contenant Sirius, l'étoile la plus brillante du ciel. Vu d'Europe du Nord, Sirius ne s'élève jamais très haut au-dessus de l'horizon austral. L'amas ouvert M41 est facile à repérer à la jumelle. α (Sirius) ; α = 6 h 43 mn ; δ = — 16 1/2° ; mag — 1,5.

Canis Minor, le Petit Chien (CMi, Carte d'étoiles 4).
Seule son étoile principale est bien visible. Comme Sirius, c'est une binaire avec, pour compagne, une naine blanche. α (Procyon) : α = 7 h 37 mn ; δ = + 5/12° ; mag 0,3.

Canes Venatici, les Chiens de Chasse (Cvn, Carte d'étoiles 5).
Au sud de la Grande Ourse, elle n'a qu'une seule étoile bien visible. La carte ci-contre vous permettra de localiser M3, l'un des plus beaux amas globulaires. On peut également apercevoir la galaxie extérieure M51 sous forme d'un très faible disque de brume. α (Cor Caroli) : α = 12 h 54 mn, δ = + 38 1/2° ; mag 2,8.

Capricornus, le Capricorne (Cap, Carte d'étoiles 7).

Une vaste mais faible constellation zodiacale dont α est une grosse binaire visible à l'œil nu (mags 3,6 et 4,3 ; 6' 16'' d'écartement) et β, une autre binaire visible à la jumelle dont le compagnon, distant de 3'25'', est de mag 6. L'amas globulaire M30 est difficilement repérable à la jumelle aux latitudes élevées de l'hémisphère nord. α (Dabih) : α = 20 h 18 mn, δ = —15° ; mag 3,0

Carina, la Carène du Navire (Car, Carte d'étoiles 8).

▼ **Cette photo** prise avec un appareil fixe et un temps d'exposition de 1 mn montre Cassiopée, une partie de Persée et le Double Amas.

Une vaste et brillante constellation australe contenant plusieurs groupes et amas, dont l'amas globulaire. NGC 2808, visible à la jumelle. α (Canopus) : δ = 6 h 23 mn, δ = —52 1/2° ; mag —0,7.

Cassiopeia, Cassiopée (Cas, Carte d'étoiles 1).

Une constellation petite mais bien reconnaissable, dont les cinq étoiles les plus brillantes forment un « M » ou un « W » près du pôle nord céleste. γ est une variable inhabituelle qui, en 1938, est brutalement passée de mag 2,4 à mag 1,7. ρ, généralement de mag 5, pâlit parfois jusqu'à mag 6. Noter tout particulièrement les amas M52 et NGC 663. α (Shedir) : α = 0 h 38 mn, δ = +56 1/2° ; mag 2,2.

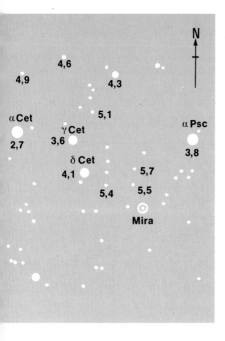

N

4,6
4,9
4,3
αCet
5,1
γCet
αPsc
2,7
3,6
3,8
δ Cet
4,1
5,7
5,4
5,5
Mira

◄ **Quand la variable à longue** période Mira Ceti dépasse la magnitude 6, on peut la repérer à l'aide de cette carte et suivre ensuite ses variations.

superbe couleur grenat, est légèrement variable. δ est le prototype des céphéides (voir p. 55 et utiliser la carte ci-contre pour observer ses variations). A 41", on trouve son compagnon de mag 5. α (Alderamin) : α = 21 h 17 mn, δ = +62 1/2° ; mag 2,4.

Cetus, la Baleine (Cet, Cartes d'étoiles 2 et 3).
Une constellation étendue et faible à l'exception du triangle formé par α, γ et δ qui est assez évident. Mira (o) est une variable à longue période (voir p. 54) dont l'éclat passe de mag 10 à son minimum à mag 2 (plus généralement mag 4) à son maximum, selon une période de 11 mois. On attend les prochains maxima pour juin 1983 et mai 1984. α (Menkar) : α = 3 h 00 mn, δ — +4 1/2° ; mag 2,7.

Coma Berenices, la Chevelure de Bérénice (Com, Carte d'étoiles 5).
Bien que ne contenant pas d'étoile d'éclat supérieur à mag 4, cette constellation apparaît comme un éparpillement d'étoiles faibles sur une portion de ciel assez vide. Elle compte l'un des plus vastes amas de galaxies connu (plusieurs milliers) mais dont quelques-unes seulement sont évidentes. La carte montre la position des deux

Centaurus, le Centaure (Cen, Cartes d'étoiles 5, 6 et 8).
Une constellation étendue. α est une magnifique binaire. Connue sous le nom de Rigil Kent, c'est l'étoile la plus proche du Soleil qui soit visible à l'œil nu. Le Centaure compte le plus proche et le plus brillant des amas globulaires : ω. A la jumelle, c'est une immense tache brumeuse d'un diamètre égal aux deux tiers de celui de la Lune. α (Rigil Kent) : α = 14 h 36 mn, δ = —60 1/2° ; mag 0,1.

Cepheus, Céphée (Cep, Carte d'étoiles 1).
Un peu difficile à identifier, cette constellation compte nombre de corps intéressants. μ, d'une

84

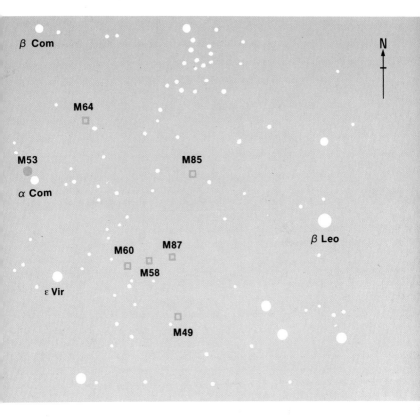

β Com

N

M64

M53

M85

α Com

β Leo

M60

M87

M58

ε Vir

M49

seules qui soient visibles à la jumelle (M64 et M85). M53 est plus brillante mais c'est un amas globulaire, $\alpha : \alpha = 13$ h 08 mn, $\delta = + 18°$; mag 4,2.

Corona Borealis, la Couronne Boréale (CrB, Carte d'étoiles 6). Bien que petit, ce groupe se reconnaît facilement à sa forme en demi-cercle. Noter la variable R qui, normalement de mag 6, faiblit parfois en quelques jours jusqu'à mag 14 ; voir la carte p. 86. En 1866 et 1946, T est brièvement devenue visible à l'œil nu.

▲ **Certaines des galaxies** les plus brillantes de la région de la Chevelure et de la Vierge, ainsi que l'amas globulaire M53, l'objet de Messier le plus facile à reconnaître.

α Alphecca) : $\alpha = 15$ h 33 mn, $\delta = + 27°$; mag 2,3.

Cygnus, le Cygne (Cyg, Carte d'étoiles 7).

L'une des plus belles constellations boréales. Elle contient le brillant amas M39, mais dont les étoiles sont trop éparpillées pour produire un bel effet. σ est une

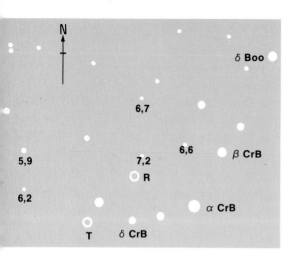

◀ **Cette carte** permet de repérer les inhabituelles variables T et R de la Couronne Boréale.

superbe binaire visible à la jumelle dont la composante primaire jaune, de mag 4, fait paraître bleu son compagnon de mag 5. β (mags 3 et 5,5 ; écartement 34'') est à peine séparable. Noter la variable à longue période χ qui, à son maximum, atteint mag 4,5 et que l'on reconnaît à sa couleur rougeâtre. Sa période est de 406 jours. α (Deneb) : α = 20 h 40 mn, δ = 45° ; mag 1,3.

Dorado, la Dorade (Dor, Carte d'étoiles 8).
Une constellation nettement australe, intéressante parce qu'elle contient, entre autres, le Grand Nuage de Magellan, vaste tache brumeuse distante de nous de quelque 160 000 années-lumière. Parmi les autres corps célestes, elle compte la superbe NGC 2070, une nébuleuse à émission visible à l'œil nu. β est une

céphéide brillante (voir p. 54). α : α = 4 h 33 mn, δ = — 55° ; mag 3.

Draco, le Dragon (Dra, Carte d'étoiles 1). Une constellation sinueuse du ciel boréal. Les deux étoiles β et γ sont les plus faciles à identifier. υ est une très belle binaire aux deux composantes de mag 5 (distantes de 1'). α (Thuban) : α = 14 h 03 mn, δ = +64 1/2° ; mag 3,6.

Equuleus, le Petit Cheval (Equ, Carte d'étoiles 7).
Cette minuscule constellation ne compte que trois étoiles évidentes. L'une d'entre elles, γ, est une binaire aux composantes de mag 4,5 et mag 6. α : α = 21 h 13 mn, δ = +5° ; mag 3,9.

Eridanus, le Fleuve Eridan (Eri, Cartes d'étoiles 3 et 8).
Une constellation sinueuse

▶ **Les Gémeaux.** A désigne la position du Soleil à la mi-été (hémisphère nord), B l'endroit où l'on décrivit Uranus en 1781.

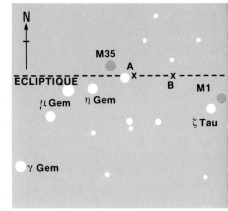

s'étendant de l'extrême sud du ciel austral jusqu'aux latitudes équatoriales. Noter la teinte rougeâtre de γ, une géante rouge. α (Achernar) : $\alpha = 1$ h 36 mn, $\delta = -57\,1/2°$; mag 0,5.

Gemini, les Gémeaux (Gem, Carte d'étoiles 4).
L'une des constellations les plus intéressantes. Elle est située dans la partie la plus septentrionale de l'écliptique et le Soleil y pénètre le 21 juin — premier jour de l'été dans l'hémisphère nord. Il n'est alors qu'à un degré environ du brillant amas ouvert M35. C'est aussi l'endroit où Herschel découvrit la planète Uranus en 1781. μ et η ont toutes deux de superbes teintes dorées ; ϵ et ς possèdent de faibles compagnons visibles à la jumelle. β (Pollux) : $\alpha = 7$ h 42 mn, $\delta = +28°$; mag 1,1.

Hercules, Hercule (Her, Carte d'étoiles 6).
Repérable grâce au quadrilatère que forment π, η, ς et ϵ, c'est la constellation rêvée pour les fervents d'étoiles doubles possédant un bon télescope. M13, son corps céleste le plus fameux, est l'un des amas globulaires les plus brillants du ciel ; à peine visible à l'œil nu, il est situé à 25 000 années-lumière de nous et contient un demi-million d'étoiles. M92, un autre amas globulaire, est plus difficile à découvrir car il n'existe aucune

◀ **Un dense champ d'étoiles** proche du Cygne.

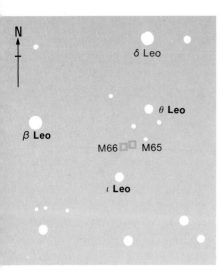

N

δ Leo

θ **Leo**

β **Leo**

M66 ⬜⬜ M65

ι **Leo**

▲ **La paire** de galaxies spirales M65 et M66, dans le Lion.

▶ **La constellation** de la Lyre, avec Véga, sa plus brillante étoile.

étoile brillante qui soit assez proche pour servir de repère. (Rasalgethi) : $\alpha = 17$ h 12 mn, $\delta = + 14\,1/2°$: mag 3,5 (faiblement variable).

Hydra, l'Hydre Femelle (Hya, Cartes d'étoiles 4 et 5).
Une faible constellation serpentine ; seuls Alphard et le petit groupe d'étoiles dessinant la tête (au sud du Cancer) sont évidents. α (Alphard) : $\alpha = 9$ h 25 mn, $\delta = -8\,1/2°$; mag 2,0.

Leo, le Lion (Leo, Carte d'étoiles 5).
Une constellation zodiacale. α est à un degré environ de l'éclipti-

que de sorte que la Lune et les planètes peuvent l'occulter. Proche des énormes groupes de galaxies de la Chevelure et de la Vierge, le Lion compte au moins deux corps — M65 et M66 — visibles à la jumelle quand le ciel est sombre ; la carte ci-contre vous aidera à localiser ces corps. α (Regulus) : $\alpha = 10$ h 06 mn, $\delta = + 12°$; mag 1,4.

Lepus, le Lièvre (Lep, Carte d'étoiles 3).
Petit groupe bien visible situé au sud d'Orion. γ est une belle binaire visible à la jumelle (mags 4 et 6,5, écartement : 11/2'), tan-

dis que l'amas globulaire M79 se présente sous forme d'une tache brumeuse. α (Arneb) : α = 5 h 31 mn, δ = — 18° ; mag 2,6.

Libra, la Balance (Lib, Carte d'étoiles 6).
Une vaste constellation zodiacale. Seules α et β sont évidentes. α possède un large compagnon de mag 6, α (Zubenelgenubi) : α = 14 h 48 mn, δ = — 16° ; mag 2,8.

Lupus, le Loup (Lup, Carte d'étoiles 6).
Un groupe petit mais bien net, situé dans une région riche du sud de la Voie Lactée. η , de mag 4, possède à 2' un compagnon de mag 9. NGC 5822 est un brillant amas ouvert. α : α = 14 h 39 mn, δ = —47° ; mag 2,3.

Lyra, la Lyre (Lyr, Carte d'étoiles 7).
Un groupe petit mais très intéressant. Un œil exercé peut séparer ε ; ζ (mag 4) a un compagnon de mag 6 à 44". δ est une autre binaire visible à l'œil nu. β est une binaire à éclipses (voir p. 53) : à son éclat maximum, elle est presque aussi brillante que sa voisine. M57, la fameuse Nébuleuse de l'Anneau, est à peine détectable à la jumelle ; M56 est un faible amas globulaire. α (Véga) α = 18 h 35 mn, δ = + 38 1/2° ; mag 0,0.

▶ **Sur cette carte,** on remarque la binaire à éclipses β de la Lyre, ainsi que M57, la Nébuleuse de l'Anneau.

Monoceros, la Licorne (Mon, Carte d'étoiles 4).
Faible constellation de la Voie Lactée. L'amas NGC 2244 est visible à l'œil nu. NGC 2506 et M50 sont aussi de beaux amas. M50 est si compact qu'à la jumelle il apparaît sous forme d'une tache blanche. α : α = 7 h 39 mn, δ = —9 1/2° ; mag 3,9.

Ophiucus (Oph, Carte d'étoiles 6).
Bien qu'elle ne compte pas au nombre des constellations du zodiaque, elle est traversée par l'écliptique. M10 et M12 sont de brillants amas globulaires, M9, M19 et M62 en sont d'autres, plus faibles. Un groupe évident d'étoiles de 8e magnitude, bien visible à la jumelle, à un degré environ de β, ne figurait curieusement pas dans les premiers catalogues de corps célestes. α (Rasalhague) : α = 17 h 33 mn, δ = + 12 1/2° ; mag 2,1.

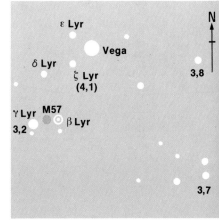

◀ **Sur cette photographie,** on distingue les trois étoiles de la Ceinture d'Orion et, au sud, la nébuleuse M42.

leuses obscures. β (Rigel) : α = 5 h 12 mn, δ = — 8 1/2° ; mag 0,1.

cette constellation : κ, une **Pavo, le Paon** (Pav, Carte d'étoiles 8).

Deux étoiles intéressantes dans

céphéide (mag 3,9 — 4,9 ; période 9,1 jours), et λ, une variable irrégulière (mag 3,5 — 4,5). NGC 6752 est un énorme amas globulaire (la moitié du diamètre de la Lune). α : α = 20 h 22 mn, δ = —57° ; mag 1,9.

Pegasus, Pégase (Peg, Cartes d'étoiles 2 et 7).

Il se reconnaît au carré qu'il forme mais n'est pas toujours immédiatement repérable car il semble plus grand dans le ciel que sur la carte. ε est une binaire repérable à la jumelle (mags 2,5 et 8,5, écartement 2') qui sert de repère pour découvrir M15, un amas globulaire aisément visible à la jumelle. α (Markab) : α = 23 h 02 mn, δ = +15° ; mag 2,5.

Perseus, Persée (Per, Cartes d'étoiles 1 et 3).

Une magnifique constellation située dans la partie nord de la Voie Lactée. Elle compte la fameuse binaire à éclipses β (Algol) décrite p. 53. NGC 869 et 884 forment le Double Amas visible même à l'œil nu. M34 est un groupe plus épars, visible

Orion (Ori, Carte d'étoiles 3).

Cette brillante constellation compte rien moins que sept étoiles de 1re magnitude — plus que tout autre groupe. Toutes — Bételgeuse mise à part — forment une véritable association dans l'espace car ce sont de jeunes étoiles très chaudes. Rigel (β) est l'une des étoiles les plus lumineuses de la Galaxie (50 000 fois l'éclat du Soleil). δ est une binaire, difficilement visible à la jumelle, avec à 53'' au nord un compagnon de mag 6,5. La célèbre Nébuleuse d'Orion (M42) est rendue irrégulière par des nébu-

aussi à l'œil nu. α (Mirfak) : $\alpha = 3$ h 21 mn, $\delta = +50°$; mag 1,8.

Pisces, les Poissons (Psc, Carte d'étoiles 2).
Une faible constellation aux étoiles éparses où se situe le Premier Point d'Ariès — le point où, le 21 mars (hémisphère nord), le Soleil coupe l'équateur céleste, α (Kaitain) : $\alpha = 1$ h 59 mn, $\delta = +2\,1/2°$; mag 3,8.

Piscis Austrinus, le Poisson Austral (PsA, Carte d'étoiles 2).

▼ **Le Double Amas de Persée**
est situé dans une riche région de la Voie Lactée.

Petite constellation reconnaissable à son étoile de première magnitude — Fomalhaut — qui brille dans une portion de ciel vide. α (Fomalhaut) : $\alpha = 22$ h 55 mn, $\delta = -30°$; mag 1,2.

Puppis, la Poupe (Pup, Carte d'étoiles 4).
Ce petit groupe brillant qui couvre une riche région de la Voie Lactée compte nombre d'amas ouverts. Noter, en particulier, M47, d'un diamètre presque égal à celui de la Lune, et M93. M46 est un peu faible pour être observé à la jumelle. ζ : $\alpha = 8$ h 02 mn, $\delta = -40°$; mag 2,3.

Sagitta, la Flèche (Sge, Carte d'étoiles 7).

Un groupe petit mais bien évident de la Voie Lactée. A mi-chemin entre δ et γ, juste au sud, on trouve M71 (voir carte p. 96). Faible tache brumeuse, c'est peut-être un amas ouvert très comprimé ou un amas globulaire très inhabituel. γ : $\alpha = 19$ h 57 mn, $\delta = + 19°$; mag 3,5.

Sagittarius, le Sagittaire (Sgr, Carte d'étoiles 7).

Une superbe constellation zodiacale située dans la partie la plus dense de la Voie Lactée — vers le centre. Elle abonde en amas et nébuleuses et la carte n'indique que les plus évidents. M8 — la Nébuleuse de la Lagune — est un brillant amas enveloppé de brume ; M20 — la Nébuleuse Trifide — une tache irrégulière proche de l'amas ouvert M21. Citons encore le brillant amas M23 et le superbe amas globulaire M22. La constellation compte 15 corps du catalogue de Messier, mais la plupart sont peu visibles aux latitudes élevées de l'hémisphère nord. ϵ (Kaus Australis) : $\alpha = 18$ h 21 mn, $\delta = - 34 1/2°$; mag 1,8.

◀ **La Nébuleuse Trifide** est à 2 300 années-lumière du Soleil. Les traces sombres sont dues à d'énormes nuages interstellaires qui s'interposent entre la nébuleuse et nous.

Scorpius, le Scorpion (Sco, Carte d'étoiles 6).

C'est probablement la plus brillante constellation après Orion, avec la rouge Antarès en tête et une « queue » recourbée derrière. Avec son voisin le Sagittaire, le Scorpion couvre la partie la plus dense de la Voie Lactée. Il compte non seulement amas et nébuleuses mais également quelques étoiles intéressantes. Antarès est une supergéante rouge aussi vaste que l'orbite de Mars et légèrement variable. υ est une binaire visible à la jumelle (mags 4,5 et 6,5 ; écartement 41''). M4 et M80 sont deux amas globulaires (M4 est le plus grand) visibles à la jumelle et proches d'Antarès. Les amas ouverts M6 et M7 sont particulièrement beaux. α (Antarès) : $\alpha = 16$ h 26 mn, $\delta = - 26 1/2°$; mag 1,1 environ (variable).

Scrutum, l'Ecu de Sobieski (ou Bouclier) (Sct, Carte d'étoiles 6).

Un groupe faible mais évident, situé dans une magnifique région de la Voie Lactée. Il contient le superbe amas ouvert M11. α : $\alpha = 18$ h 32 mn, $\delta = - 8 1/2°$; mag 3,8.

Serpens, le Serpent (Ser, Carte d'étoiles 6). Cette constellation en forme de serpent comporte d'un côté d'Ophiucus la Tête (Caput) et de l'autre la Queue (Cauda). On y trouve M5 (voir carte p. 94), l'un des plus vastes et des plus brillants amas globulaires. α (Unukalhai) : $\alpha = 15$ h 42 mn, $\delta = + 6 1/2°$; mag 2,7.

Taurus, le Taureau (Tau, Carte d'étoiles 3).
Cette constellation du zodiaque a plus que sa part de corps intéressants. L'amas brillant et clairsemé des Hyades, à l'ouest d'Aldébaran, est, à la jumelle, un éparpillement de joyaux colorés. Les Pléiades, trois fois plus éloignées, à 400 années-lumière environ, sont plus compactes et contiennent de très nombreuses étoiles blanches. A 65 années-lumière de distance seulement, Aldébaran est deux fois plus proche que les Hyades. τ est une binaire intéressante, visible à la jumelle (mags 4,5 et 8,5, écartement 1'). M1, nébuleuse planétaire, se repère difficilement à 1° environ au N.-O. de ; c'est la Nébuleuse du Crabe, restes de la supernova de 1054. α (Aldébaran) : α = 4 h 33 mn, δ = + 16 1/2° ; mag 0,9.

Triangulum, le Triangle (Tri, Carte d'étoiles 2).
Un petit groupe, assez net, qui contient l'intéressante galaxie M33. Au moins deux fois aussi vaste que la Lune, elle est très faible et visible seulement par les nuits les plus claires. Pour y parvenir, faire passer lentement les jumelles sur la région intéressée et détourner légèrement le regard de manière que l'image s'imprime sur le bord de la rétine, beaucoup plus sensible. β : α = 2 h 07 mn, δ = + 35° ; mag 3,0.

Triangulum Australe, le Triangle Austral (TrA, Carte d'étoiles 8).
Une petite constellation située très au sud, à la lisière de la Voie Lactée. Elle compte le bel amas ouvert NGC 6025. α : α = 16 h 43 mn, δ = —69° ; mag 1,9.

Tucana, le Toucan (Tuc, Carte d'étoiles 8).
Cette constellation contient non seulement le Petit Nuage de Magellan mais aussi le brillant amas globulaire 47 (NGC 104) qui rivalise avec ω du Centaure. β est une binaire, presque impossible à voir à la jumelle (mag 4,5 toutes deux, écartement 27'').

▼ **M5 du Serpent** rivalise d'éclat avec le Grand Amas d'Hercule. Il est distant de nous de 27 000 années-lumière.

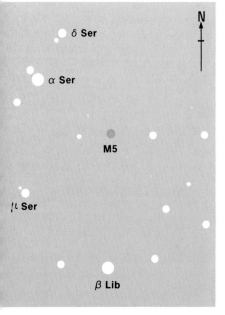

▲ **La rouge Antarès,** dans le Scorpion, observée depuis le sud de l'Angleterre.

NGC 362 est un autre amas globulaire intéressant. α : $\alpha = 22$ h 15 mn, $\delta = -60\,1/2°$; mag 2,8.

Ursa Major, la Grande Ourse (UMa. Cartes d'étoiles 1 et 5). Connue aussi sous le nom de Grand Chariot à cause de la forme que dessinent ses sept étoiles les plus brillantes, c'est l'une des constellations les plus aisément repérables de l'hémi-

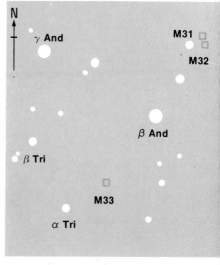

▲ **M33, dans le Triangle,** est à peine détectable à la jumelle.

sphère nord. ζ (Mizar) est mentionnée en p. 52. La faible nébuleuse planétaire M97 se repère bien à la jumelle quand le ciel est très sombre. α (Dubhé) : α = 11 h 01 mn, δ = +62° ; mag 1,8.

Ursa Minor, la Petite Ourse (UMi, Carte d'étoiles 1).
Toute proche du pôle nord céleste, elle contient Polaris, l'Etoile Polaire. α (Polaris) : α = 02 h 15 mn, δ = 89° ; mag 2,0.

Vela, les Voiles (Vel, Cartes d'étoiles 4 et 8).
Une brillante constellation de la Voie Lactée. γ est une binaire test (mags 1,8 et 4,2, écartement 42'') juste décelable à l'aide de bonnes jumelles. L'amas proche NGC 2547 est visible à l'œil nu. γ : α = 8 h 08 mn, δ = —47° ; mag 1,7.

Virgo, la Vierge (Vir, Carte d'étoiles 5).
Une vaste constellation zodiacale, mieux connue pour les galaxies de la région qu'elle couvre, bien qu'un petit nombre seulement d'entre elles soit visible à la jumelle. La carte p. 85 montre la position des plus brillantes (M49, M58 et M87) et de la plus faible M60. α (Spica) : α = 13 h 23 mn, δ = —11° ; mag 1,0.

Vulpecula, le Petit Renard (Vul, Carte d'étoiles 7).
Ce petit groupe de la Voie Lactée compte pourtant M27, la plus vaste et la plus brillante des nébuleuses planétaires (voir carte). α : α = 19 h 27 mn, δ = +24 1/2° ; mag 4,4.

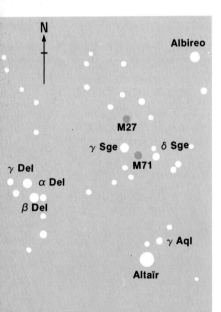

▶ **La vaste nébuleuse des Haltères,** M27, est un objet brillant, visible à la jumelle mais difficile à localiser parmi les nombreuses étoiles faibles du Petit Renard (voir carte de gauche). M71, dans la Flèche, figure également sur cette photo.

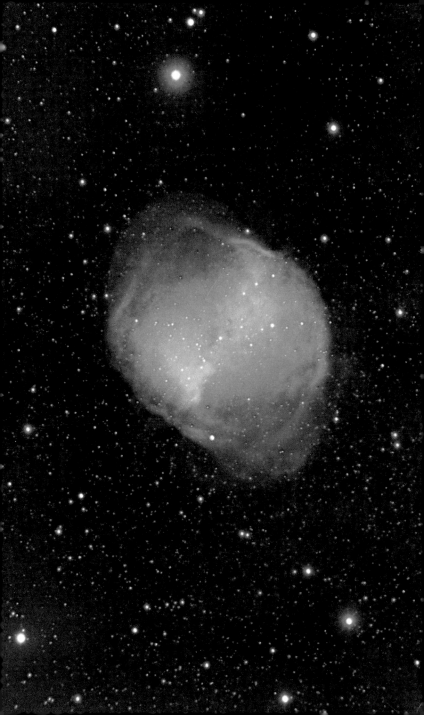

La Lune

De tous les corps célestes, la Lune est probablement celui qui nous paraît subir les changements les plus spectaculaires dans la mesure où elle accomplit le cycle complet de ses phases en un mois seulement. Et pourtant, la Lune est aujourd'hui une planète morte. Les derniers bouleversements importants s'y sont produits il y a quelque 3 000 millions d'années, laissant derrière eux une surface grêlée de cratères.

Les diverses phases par lesquelles passe la Lune sont dues au fait qu'elle ne fait que réfléchir la lumière solaire. Comme la Terre, elle n'est jamais qu'à moitié éclairée par le Soleil. Nuit après nuit, elle nous offre un spectacle différent. Un petit télescope ou même des jumelles permettent de distinguer nombre de détails de sa surface, aussi n'est-il guère surprenant que la Lune constitue l'objet favori de ceux qui ont choisi l'astronomie comme passe-temps.

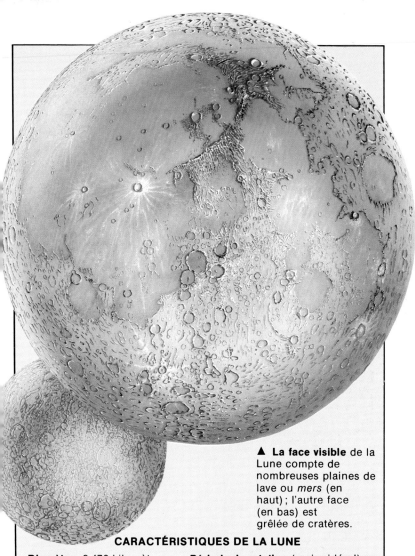

▲ **La face visible** de la Lune compte de nombreuses plaines de lave ou *mers* (en haut) ; l'autre face (en bas) est grêlée de cratères.

CARACTÉRISTIQUES DE LA LUNE

Diamètre : 3 476 kilomètres
Masse : la Terre × 0,012
Densité : l'eau × 3,3
Distance moyenne :
 384 400 kilomètres
Distance minimum :
 356 400 kilomètres
Distance maximum :
 406 700 kilomètres

Période de rotation (mois sidéral) :
 27,32 jours
Cycle des phases (mois synodique) 29,53 jours
Inclinaison de l'orbite par rapport à l'écliptique : 5°
Inclinaison de l'axe : 6 1/2°
Diamètre angulaire : 29' 21" (min.) ;
 33' 30" (max.).

99

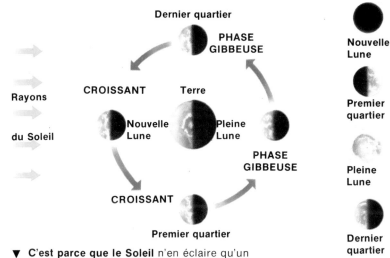

Dernier quartier

PHASE GIBBEUSE

Nouvelle Lune

CROISSANT

Terre

Premier quartier

Nouvelle Lune

Pleine Lune

Rayons

PHASE GIBBEUSE

Pleine Lune

du Soleil

CROISSANT

Premier quartier

Dernier quartier

▼ **C'est parce que le Soleil** n'en éclaire qu'un hémisphère que la Lune passe par des phases. Elle fait un tour sur elle-même en un mois synodique en conservant donc toujours la même face tournée vers la Terre.

Premier Quartier, 7 jours   **Pleine Lune, 14 jours**

Le cycle de la Lune

On a donné le nom de *mois synodique* à la période de 29,5 jours qu'il faut à la Lune pour passer par toutes ses phases. Pendant ce temps la ligne de lever et de coucher du Soleil — ou *terminateur* — traverse lentement la face tournée vers la Terre.

A chaque Nouvelle Lune, c'est l'hémisphère sombre qui nous fait face et nous ne pouvons voir l'astre puisqu'il est très proche du Soleil dans le ciel. Deux ou trois jours plus tard, la Lune s'est suffisamment déplacée vers l'est pour laisser voir, le soir, un mince croissant ; sept jours plus tard, elle forme un demi-cercle parfait à 90° du Soleil : c'est le Premier Quartier.

Au cours de la semaine suivante, la portion visible ne cesse d'augmenter *(phase gibbeuse)* jusqu'à la Pleine Lune où la surface est entièrement éclairée. Le phénomène s'inverse alors, la Lune se levant de plus en plus tard chaque nuit, jusqu'à disparaître dans le ciel de l'aube. Sauf dans le cas ou Terre, Lune et Soleil sont parfaitement alignés (on assiste alors à une éclipse), la Nouvelle Lune nous est cachée par l'éclat du Soleil. Il est intéressant d'essayer de repérer son mince croissant un ou deux jours avant ou après la Nouvelle Lune. Pour cela, mieux vaut utiliser des jumelles.

Dernier Quartier, 21 jours   **Croissant, 27 jours**

Les éclipses de Lune

Si la Lune se déplaçait exactement le long de l'écliptique (c'est-à-dire dans le plan de l'orbite terrestre), elle serait alignée avec le Soleil à chaque Nouvelle ou Pleine Lune et l'on assisterait alors, respectivement, à une éclipse de Soleil ou une éclipse de Lune.

De fait, l'orbite de la Lune est inclinée de cinq degrés sur l'écliptique de sorte que les éclipses sont rares. Lorsque la Lune passe dans le cône d'ombre de la Terre, on a une éclipse de Lune. Elle est totale lorsque la Lune pénètre complètement dans l'ombre. Une éclipse peut durer plusieurs heures — soit une heure environ d'éclipse totale. Pourtant, même lorsqu'elle est totalement éclipsée, la Lune reste faiblement visible (d'un brun rougeâtre) du fait que l'atmosphère terrestre laisse filtrer un peu de lumière dans l'ombre.

Les éclipses totales sont plus ou moins nettes et ce, du fait de la plus ou moins grande transparence de l'atmosphère. Les éclipses partielles sont d'un intérêt moindre dans la mesure où l'éclat aveuglant de la partie non éclipsée de la surface empêche de distinguer la délicate coloration de l'ombre. L'éclipse de juin 1964 était si totale qu'on apercevait à peine la Lune à l'œil nu ; par contre, la plupart du temps, le contraste permet de voir les *maria* et les rayons de cratères.

▼ **Une éclipse de Lune** se produit lorsque celle-ci traverse le cône d'ombre projeté par la Terre.

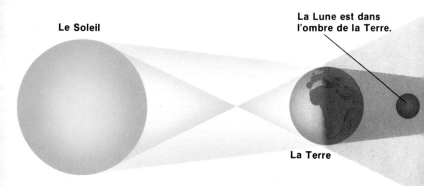

Le Soleil

La Lune est dans l'ombre de la Terre.

La Terre

▲ **Quatre stades** d'une éclipse de Lune. Il peut falloir jusqu'à six heures à la Lune pour passer complètement dans l'ombre de la Terre et l'éclipse totale peut durer 1 h 45 mn.

LES ÉCLIPSES DE LUNE			
Date et heure (GMT) de la mi-éclipse	Type	Durée (en mn)	Région de visibilité
1982 6 juil 7 h 30	Totale	102	Nouvelle-Zélande, Pacifique, Amérique du Sud, Mexique.
30 déc 11 h 26	Totale	66	Pacifique, Australie, Nouvelle-Zélande, Asie orientale, E.-U.
1983 25 juin 8 h 25	Partielle	—	Pacifique Sud, Nouvelle-Zélande, Amérique du Sud.
1985 4 mai 19 h 57	Totale	70	Afrique, Océan Indien, Inde, Australie.
28 oct 17 h 43	Totale	42	Asie, Est de l'Afrique, Ouest de l'Australie.

Les occultations

En se déplaçant le long de l'écliptique, la Lune (ou une autre planète) nous masque successivement telle ou telle étoile : c'est ce qu'on appelle une *occultation*. Si l'on peut prévoir les occultations des années à l'avance, il reste toujours une incertitude d'une seconde et plus quant à l'instant où l'étoile disparaîtra ou réapparaîtra.

Les étoiles disparaissent au bord (ou limbe) oriental de la Lune, invisible avant la Pleine Lune, sinon dans la phase « croissant » au cours de laquelle la face obscure est illuminée par ce qu'on appelle la *lumière cendrée* — réflection par la Terre de la lumière solaire. Les occultations sont plus aisées à observer lorsque le limbe est obscur car, dans le cas contraire, l'étoile se fond facilement dans le rayonnement lumineux de la Lune. Les planètes peuvent également être occultées par la Lune, et voir celle-ci recouvrir progressivement la surface de l'une d'elles est toujours un spectacle fascinant. Le phénomène est étonnamment rapide et même le large disque de Jupiter se trouve recouvert en l'espace de 80 secondes.

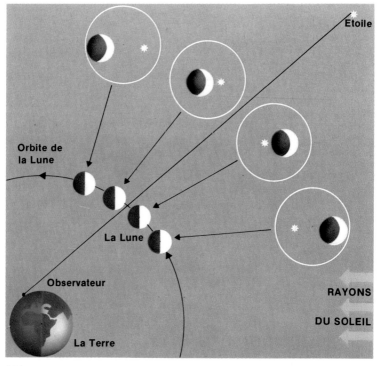

▶ **L'occultation** d'une étoile photographiée à travers un réflecteur de 300 mm. La première photo montre deux étoiles. Sur la seconde, l'une d'elles a été occultée par la Lune. La Lune est gibbeuse et le limbe ouest invisible ; lorsque la Lune est décroissante, les étoiles disparaissent derrière le limbe brillant.

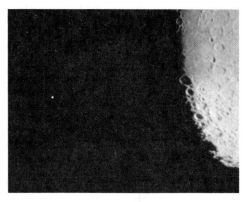

◀ **Chronométrer** la disparition et la réapparition d'une étoile lors d'une occultation permet de connaître précisément la position de la Lune sur son orbite car, dans ce cas, l'étoile sert de point de référence.

Observer les occultations

Vous trouverez dans des ouvrages spécialisés ou auprès de sociétés d'astronomie toutes informations nécessaires pour savoir quand doit se produire une occultation.

A condition que la Lune ne soit pas pleine ou presque et qu'il n'y ait pas de brume, on peut observer les occultations d'étoiles de 6e magnitude au moins à l'aide d'un télescope de 60 mm d'ouverture. Pour déterminer l'heure exacte de la disparition de l'étoile, il vous faudra un chronomètre. On le déclenche à l'instant précis de la disparition, puis l'on compose au téléphone le numéro de l'horloge parlante. A l'un des « 4e top » (n'importe lequel), on arrête le chronomètre et il suffit alors de déduire de l'heure donnée par l'horloge le temps inscrit sur le chronomètre pour connaître l'heure exacte du début de l'occultation.

Des renseignements importants sur le mouvement de la Lune ont ainsi été recueillis grâce aux observations d'occultations.

Observation amateur

Grâce aux missions « Apollo » (1969-1972), nous en savons aujourd'hui beaucoup plus sur la surface de la Lune et sa composition interne que nous n'aurions jamais pu en découvrir à partir de la Terre. Mais si ces découvertes ont été moins sensationnelles que celles faites sur les diverses planètes, c'est parce que, proches voisins de la Lune, nous pouvons distinguer nombre de détails de sa surface.

Même à l'œil nu, on découvre les sombres plaines de lave, ou *maria* (« mers »), contrastant avec les brillantes régions élevées. Brillantes aussi certaines taches tel le dépôt blanc entourant le cratère Copernic (Carte de la Lune 3).

Il est également intéressant, en s'aidant d'une carte, de tenter de découvrir le plus de détails possible. Le brillant cratère Kepler (Carte 3) est moins évident que Copernic, et la Mer des Vapeurs (Carte 2) l'est moins encore.

N'oubliez pas que les cartes donnent de la Lune une vue inversée (comme à travers un télescope).

(1)

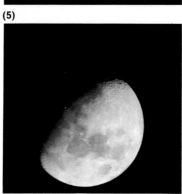

(2)

(5)

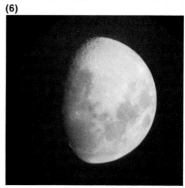

(6)

Avec des jumelles ou un télescope de faible puissance, on voit les principaux éléments du relief lunaire, mais pour découvrir dans toute leur majesté cratères et chaînes de montagne, un instrument de 75 mm au moins d'ouverture et d'un grossissement de 100 minimum sera nécessaire.

Les Cartes de la Lune

Pour des raisons de facilité, les cartes des pages suivantes découpent la surface de la Lune (face visible) en 4 quadrants. Les objets des 1er et 2e quadrants sont plus aisés à observer entre la Nouvelle Lune et son Premier Quartier (lever du Soleil local), puis de nouveau entre la Pleine Lune et le Dernier Quartier (coucher du Soleil). Ceux des 3e et 4e quadrants sont éclairés par le soleil levant entre le Premier Quartier et la Pleine Lune et par le soleil couchant entre le Dernier Quartier et la Nouvelle Lune.

▼ **Ces photographies** ont été prises par l'astronome amateur John Clarke à l'aide d'un appareil fixé à un réfracteur de 60 mm. Les « âges » de la Lune, en jours, sont les suivants : (1) 2,8 ; (2) 3,8 ; (3) 5,8 ; (4) 7,6 ; (5) 9,0 ; (6) 10,0 ; (7) 11,7 ; (8) 14,0.

(3)

(4)

(7)

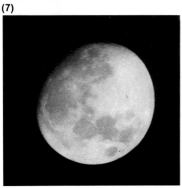

(8)

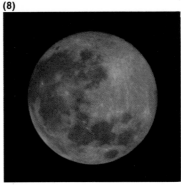

Carte de la Lune 1
Quadrant sud-est

Pour faciliter l'identification, les objets de ces cartes sont montrés tels qu'ils apparaîtraient au soleil couchant, alors qu'ils se trouvent au terminateur.

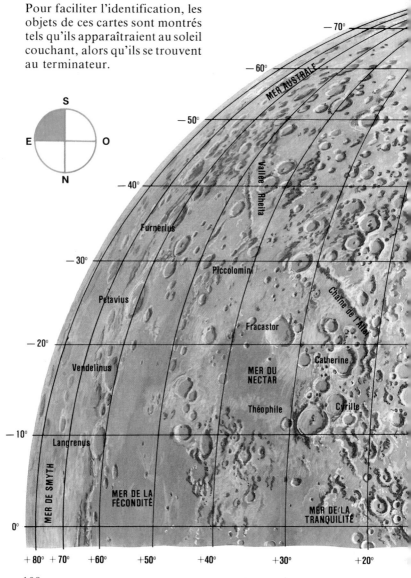

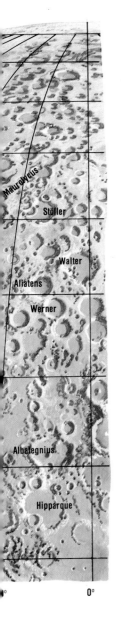

La vallée Rheita (à observer de préférence par une Lune de quatre jours) : Cette faille longue de 160 km n'est jamais très facile à repérer à cause de l'environnement tourmenté.

La chaîne de montagnes de l'Altaï : L'une des plus importantes chaînes de montagnes de ce quadrant. Elle ressemble assez à la frontière d'une large vallée ; elle culmine par endroits à 4 000 m.

Théophile : De 100 km de diamètre, ce cratère chevauche son voisin, Cyrille, ce qui prouve qu'il s'est formé plus tard.

Fracastor : Un bon exemple de vieux cratère aux parois en partie fondues et démolies par la lave fraîche au moment où s'est formée la Mer du Nectar.

Petavius : avec Vendelinus, Langrenus et Furnerius, il constitue un spectacle imposant au terminateur par une Lune de trois jours. Il mesure 160 km de diamètre. Une large vallée y court de la montagne centrale à la paroi S.-E.

Hipparque et **Albategnius :** Tous deux de 150 km de diamètre, ils sont très anciens : ils sont littéralement grêlés d'impacts de météorites.

Stöfler : Très abîmé par son voisin, le petit Faraday, ce cratère de 80 km de diamètre est facilement reconnaissable même parmi le terrain chaotique qui caractérise la partie sud de la Lune.

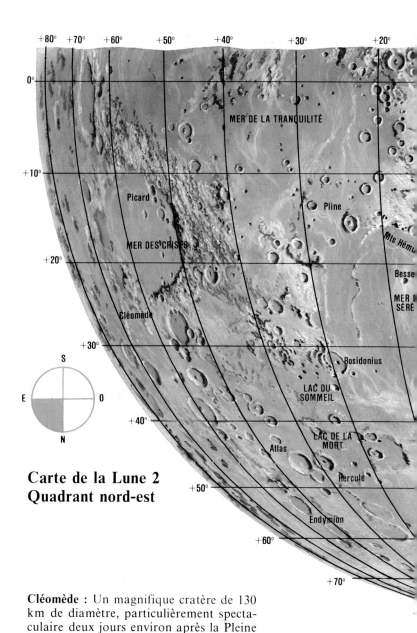

+80° +70° +60° +50° +40° +30° +20°

0°

MER DE LA TRANQUILITÉ

+10°

Picard

Pline

MER DES CRISES

Mts Hému

+20°

Besse

MER I
SÉRÉ

Cléomède

+30°

Posidonius

LAC DU
SOMMEIL

+40°

LAC DE LA
MORT

Atlas

**Carte de la Lune 2
Quadrant nord-est**

+50°

Hercule

Endymion

+60°

+70°

S

E   O

N

Cléomède : Un magnifique cratère de 130
km de diamètre, particulièrement specta-
culaire deux jours environ après la Pleine
Lune.

La Mer des Crises : L'une des plus petites « mers » (500 km de diam. seulement) mais très visible. Sa distance au limbe varie notablement au cours du mois et ce, du fait de la *libration* de la Lune — légère oscillation de celle-ci sur son axe à mettre au compte des variations de sa vitesse orbitale. La libration permet à l'observateur de voir une petite portion de la face « invisible » de la Lune.

La Mer de la Sérénité : Partiellement bordée de montagnes, c'est cinq jours environ après la Nouvelle Lune qu'elle est le mieux visible. Sa surface est parcourue de crêtes, comme ridée.

Bessel : Un petit cratère (20 km de diam. seulement) mais aisément repérable sur la surface relativement lisse de la Mer de la Sérénité. Comme cette « mer », il est parcouru d'un long rayon brillant.

Endymion : Il est intéressant de comparer ce sombre cratère (130 km de diam.) avec ses voisins Atlas et Hercule, plus clairs.

Le Caucase : Avec les Apennins, il compte parmi les plus hautes montagnes de la Lune, atteignant par endroits plus de 6 000 m d'altitude.

La Rainure Hyginus : Une longue vallée visible au Premier Quartier et à l'aide d'un petit télescope sous forme d'une ligne filiforme.

La Vallée Alpine : Les Alpes ne sont pas la plus haute chaîne montagneuse de la Lune, mais comptent sa vallée la plus extraordinaire : 130 km de long et plus de 10 km de large. Au Premier Quartier et à travers un télescope de 60 mm, on la découvre comme une coupure nette.

111

Carte de la Lune 3
Quadrant nord-ouest

Platon : Un beau cratère à fond sombre, de 100 km de diamètre. De façon évidente, l'intérieur a été submergé lors d'une seconde fusion.

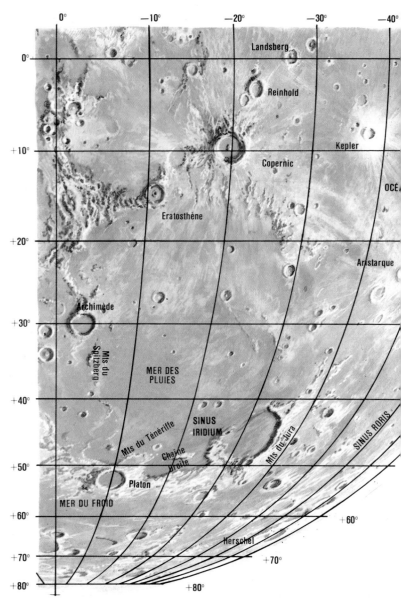

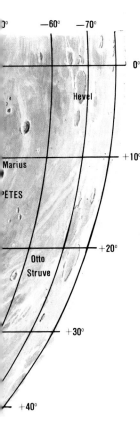

Archimède : Juste après le Premier Quartier, ce cratère constitue un très beau spectacle avec ses deux compagnons plus petits : Autolycus et Aristyllus. Tous trois ont subi une refusion, probablement lors de la formation de la Mer des Pluies.

La Chaîne Droite : Un groupe petit mais évident émergeant de la Mer des Pluies à proximité de Platon.

Le Sinus Iridium : C'était probablement un énorme cratère de 250 km de diamètre. L'une des parois a été submergée et il forme une magnifique baie bordée de pics (les Monts du Jura) qui atteignent 6 000 m. Lorsque la Lune a neuf jours et demi, ils forment saillie au terminateur et sont visibles à l'œil nu.

Copernic : L'un des plus jeunes parmi les grands cratères lunaires. De 90 km de diamètre, il en comporte toutes les caractéristiques : remparts en terrasses, crêtes, traces d'impacts, pic central et rayons blancs formés de matériau vitrifié.

Aristarque : Petit cratère de 48 km de diamètre seulement, c'est la tache la plus brillante que l'on aperçoit à la surface de la Lune. C'est souvent à minuit et à la lumière cendrée (c'est-à-dire quand la Lune forme un croissant de quatre jours) que l'on peut le voir ; on l'aperçoit bien également lors d'une éclipse totale de Lune.

113

Carte de la Lune 4
Quadrant sud-ouest

Clavius : L'un des plus gros cratères lunaires (230 km de diam.) avec, à l'intérieur, une chaîne de cratères plus récents.

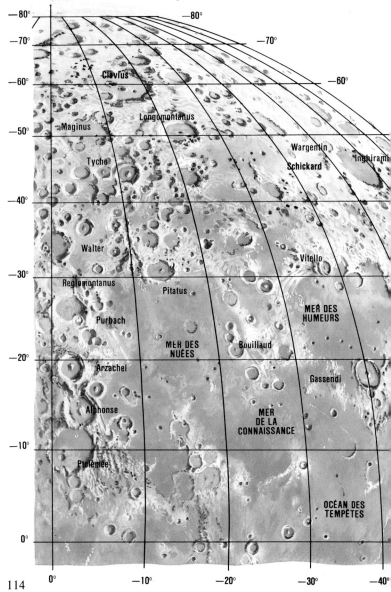

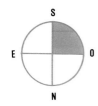

S

E   0

N

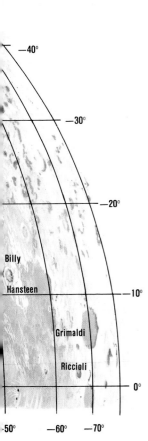

—40°

—30°

—20°

Billy

Hansteen   —10°

Grimaldi

Riccioli

0°

-50°   —60°   —70°

Ptolémée : Un cratère en ruine de 145 km de diamètre. Avec Alphonse et Arzachel, il constitue un spectacle imposant juste après le Premier Quartier ; leur paroi ouest est illuminée par le Soleil bien avant leur base.

L'Océan des Tempêtes : La plus vaste des « mers » mais dépourvue de barrières montagneuses et paraissant relativement lisse à travers un télescope de petite ouverture. De nombreux cercles marquent la place d'anciens cratères submergés.

Grimaldi : Un cratère très sombre, proche du limbe ouest et toujours visible. Son voisin Riccioli, plus petit (160 km de diam.), est beaucoup plus difficile à repérer sinon juste avant la Pleine Lune car il est alors au terminateur.

Gassendi : Un très beau cratère (90 km de diam.). Les amateurs s'y intéressent tout particulièrement à cause d'épisodiques colorations rouges aperçues dans cette région.

La Mer des Humeurs : L'une des petites « mers » les mieux définies. Par une Lune de onze jours, de minuscules cratères et plis couturent sa surface.

Schickard : Un cratère à fond sombre, de 210 km de diamètre, en bonne partie détruit par les impacts. Noter, au sud-ouest le curieux Wargentin : un plateau, unique en son genre, qui s'est apparemment formé au moment où le cratère originel s'est rempli de lave.

Tycho : Un cratère bien formé de 90 km de diamètre, manifestement récent, bien préservé et duquel partent de nombreux et très longs rayons.

LE SOLEIL

Les planètes

De tout temps, les astronomes se sont interrogés sur les planètes et leurs mystérieux mouvements sur la sphère céleste. Nous comprenons aujourd'hui le pourquoi et le comment de leurs déplacements mais en tant que « mondes », elles soulèvent encore de nombreuses questions dont nous ignorons la réponse.

On peut diviser les planètes en deux groupes : les petites planètes ou planètes *telluriques* — Mercure, Vénus, la Terre, Mars et peut-être Pluton — qui forment des globes solides ; les planètes *géantes* ou *majeures* — Jupiter, Saturne, Uranus et Neptune — constituées principalement de gaz et ne comportant que peu ou pas de matériau

116

▲ **Les planètes et leurs orbites** représentées à l'échelle. De gauche à droite : Mercure, Vénus, la Terre, Mars, Jupiter, Saturne, Neptune, Uranus et Pluton.

rocheux. Les planètes, satellites, comètes et débris qui constituent les éléments du système solaire ont tous été, comme notre étoile, formés à l'intérieur d'un énorme nuage probablement composé de 90 % d'hydrogène, de 9 % d'hélium et de traces de 90 autres éléments.

Hydrogène et hélium sont constitués d'atomes qui se déplacent rapidement et que seule une forte attraction gravitationnelle peut maintenir accolés. Le Soleil et les planètes géantes — Jupiter, Saturne, Uranus et Neptune — sont constitués majoritairement d'hydrogène. Les petites planètes comme la Terre ont perdu très tôt leur hydrogène : ce sont des corps denses et rocheux.

117

Des fragments de planètes

A partir de la nébuleuse solaire originelle, de nombreux autres corps se sont condensés. Certains sont devenus des satellites des planètes, d'autres plus petits constituent les milliers de planètes mineures ou *astéroïdes* qui circulent dans l'espace, surtout entre Mars et Jupiter. Les innombrables fragments ou *météoroïdes,* pas plus gros que des grains de poussière, qui tournent autour du Soleil nous sont invisibles

▶ **A la surface de la Terre,** les cellules vivantes basées sur l'atome de carbone ont produit d'innombrables formes de vie différentes. La vie a commencé il y a plus de 3 400 millions d'années (âge des plus vieux fossiles connus).

CARACTÉRISTIQUES DU SYSTÈME SOLAIRE

Planète	Distance du Soleil			Diamètre (en km)	Durée du jour	Durée de l'année	Nombre satelli
	min.	moyenne	max.				
Mercure	46	58	70	4 850	176 j	88 j	0
Vénus	107 1/2	108	109	12 104	2 760 j	225 j	0
la Terre	147	149 1/2	152	12 756	24 h	365 j	1
Mars	206 1/2	228	249	6 790	24 h 37 mn	687 j	2
Jupiter	741	778 1/2	815 1/2	142 600	9 h 50 mn	11,9 ans	14
Saturne	1 347	1 427	1 507	120 200	10 h 14 mn	29,5 ans	17
Uranus	2 735	2 870	3 004	52 000 ?	24 h ?	84 ans	5
Neptune	4 456	4 497	4 537	48 000	22 h ?	165 ans	2
Pluton	4 425	5 900	7 357	3 000 ?	6 j 9 h	248 ans	1

jusqu'au moment où ils se vaporisent sous forme de *météores* en pénétrant dans l'atmosphère terrestre. N'oublions pas les étranges *comètes* glacées et vaporeuses qui, elles aussi, ne deviennent visibles qu'au moment où elles passent à proximité du Soleil (voir pp. 138-147).

La question que se posent beaucoup d'astronomes est de savoir si la vie existe ou non sur d'autres planètes du système solaire. Les conditions qui y règnent prêchent pour la négative.

▲ **Les sondes spatiales** ont photographié nombre de planètes et de satellites. Les clichés obtenus laissent à penser que chaque surface solide du système solaire, y compris la Terre, a été, au début de son histoire, bombardée par de petits corps interplanétaires. Vénus (en haut), Mercure (en dessous).

▶ **La surface de Mars** photographiée par la sonde « Viking ».

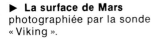

En observant les planètes

Les planètes sont toujours fascinantes à regarder. Du fait qu'elles décrivent une orbite autour du Soleil, on ne les retrouve jamais à la même place d'une nuit à l'autre. De plus, elles ne se déplacent pas toutes de la même manière.

Planètes inférieures et supérieures Mercure et Vénus, que l'on nomme *inférieures,* constituent un cas particulier. Leur orbite se situant à l'intérieur de celle de la Terre, elles se trouvent toujours dans le voisinage du Soleil. En supposant, pour simplifier, que la Terre soit immobile, le croquis ci-dessous et à gauche montrera comment ces planètes se déplacent. Elles passent d'abord du stade où elles sont invisibles, soit de l'autre côté du Soleil par rapport à la Terre *(conjonction supérieure),* à celui où elles sont visibles après le coucher du Soleil dans le ciel occidental (élonga-

tion est). Elles rentrent ensuite à nouveau en conjonction *(conjonction inférieure)* pour ne réapparaître que dans la phase d'élongation ouest. En même temps que s'accomplit ce cycle, les planètes sont soumises à des phases, tout comme la Lune, apparaissant pleines aux abords de la conjonction supérieure et sous forme de mince croissant près de la conjonction inférieure.

Les autres planètes se comportent comme indiqué sur le croquis de droite. Quand elles sont le plus proches possible de nous, elles sont situées à l'opposé du Soleil par rapport à la Terre

PLANÈTE INFÉRIEURE

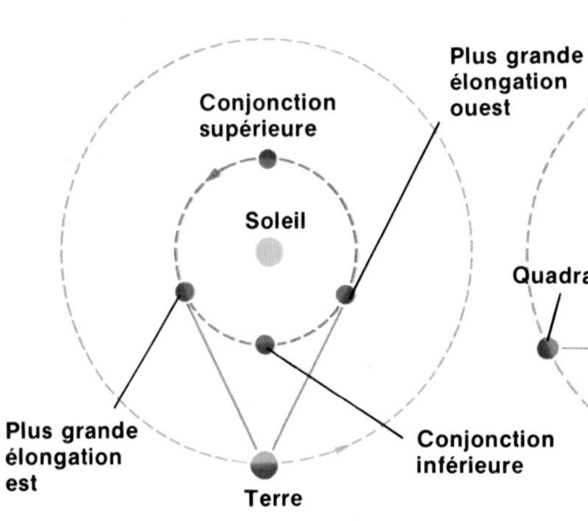

PLANÈTE SUPÉRIEURE

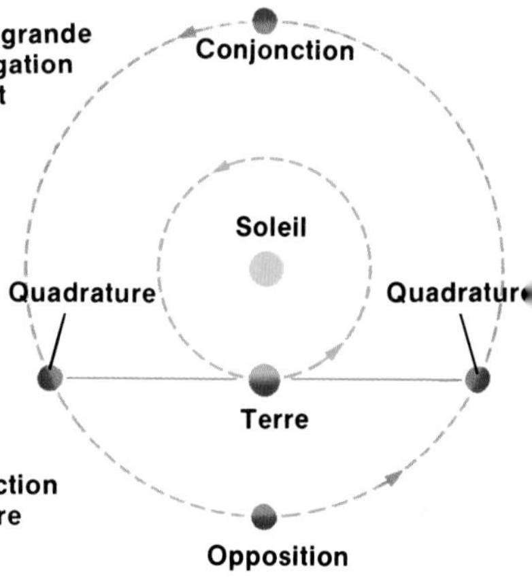

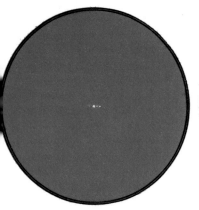

▲ **Des jumelles** ou un petit télescope vous permettront de voir les quatre grosses lunes de Jupiter.

▲ **Avec un puissant télescope,** vous distinguerez sur le disque de Jupiter une masse de détails en perpétuel changement.

(opposition) ; aux abords de la conjonction, elles sont invisibles. Ces planètes sont appelées *supérieures.*

Les planètes de Mercure à Saturne sont visibles à l'œil nu ; Uranus et Neptune à la jumelle. Seul Pluton est invisible sans un bon télescope (250 mm d'ouverture environ). A la jumelle, on verra Vénus sous forme de croissant et jusqu'aux quatre lunes de Jupiter, ainsi qu'une des lunes de Saturne. On pourra peut-être également apercevoir Mercure lors d'une de ses fugitives apparitions.

▶ **Lorsque Mars** ou une autre planète supérieure est en opposition, la plus grande vitesse orbitale de la Terre fait que la planète paraît adopter pendant quelques semaines un mouvement rétrograde.

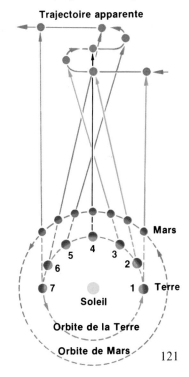

Trajectoire apparente

Mars

Terre

Soleil

Orbite de la Terre

Orbite de Mars

121

Mercure ☿

Mercure se trouve toujours à 28° du Soleil. Aux latitudes tempérées, on ne le voit qu'au crépuscule. Pour l'observateur de l'hémisphère nord, c'est le soir, de janvier à avril, et le matin, de juillet à octobre qu'il convient de chercher la planète. Dans l'hémisphère sud, ces données sont inversées.

Trouver Mercure

Chercher à dix degrés environ au-dessus de l'emplacement du Soleil, trois quarts d'heure environ avant le lever ou après le coucher de celui-ci. Les dates des élongations (c'est alors que l'on peut voir Mercure) sont indiquées dans l'almanach du ciel (p. 175); mieux vaut, toutefois, entamer vos observations quelque dix jours avant la date donnée. Mercure est blanc mais peut paraître rose dans le ciel du crépuscule.

Un grossissement de 250 vous montrera Mercure à peine aussi gros que la Lune vue à l'œil nu.

Ce n'est qu'avec le lancement de la sonde « Mariner 10 » (1974-75) qu'on a pu en savoir un peu plus sur cette planète.

On sait aujourd'hui que Mercure est grêlé de cratères, alternativement gelé ou brûlant, dépourvu d'air.

CARACTÉRISTIQUES DE MERCURE

Température de surface : 350 °C/—170 °C

Gravité : 0,38 fois celle de la Terre

Densité : 5,4 fois celle de l'eau

Atmosphère : absente

Diamètre apparent : 9" (conjonction inférieure) ; 6" (conjonction supérieure)

Intervalle entre deux conjonctions inférieures : 116 jours

Magnitude maximale : —1,4

▼ **Mercure vu à travers un réflecteur** de 250 mm, trois soirs consécutifs.

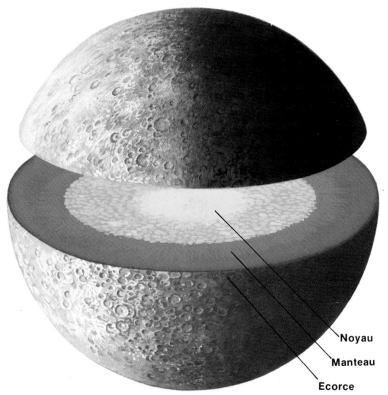

Noyau

Manteau

Ecorce

▲ **Le noyau métallique** exceptionnellement important de Mercure en fait la planète la plus dense du système solaire, après la Terre.

▶ **En conjonction inférieure,** Mercure passe parfois devant le Soleil (il *transite*). Ce cliché a été pris le 8 mai 1970. Le prochain transit est attendu pour le 13 novembre 1986.

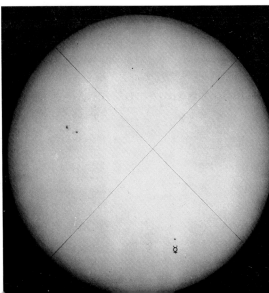

Vénus ♀

Comme Mercure, Vénus est une planète inférieure qui apparaît et disparaît tel un lutin, mais que l'on repère beaucoup plus facilement que sa voisine. Aux approches des périodes d'élongation, elle est visible à l'œil nu à la lumière du jour.

Observation à la jumelle

Entre l'élongation et la conjonction inférieure, la planète est visible sous forme de croissant, avec de simples jumelles solidement fixées sur un support. Malheureusement, Vénus est entourée de nuages très épais et la plus grande partie des informations la concernant nous a été transmise par les sondes spatiales.

Un jeu de cache-cache

Vénus est généralement hors de vue pendant les quelque quatre mois cernant la période de conjonction supérieure. Mais elle bondit si rapidement en conjonction inférieure que quelques jours après l'avoir vue disparaître dans le ciel crépusculaire on la découvre dans celui du matin. D'où son double nom d'Etoile du Soir et d'Etoile du Matin.

**CARACTÉRISTIQUES
DE VÉNUS**

Température de surface : 480°C
Gravité : 0,9 fois celle de la Terre
Densité : 5,2 fois celle de l'eau
Atmosphère : oxyde de carbone principalement
Pression atmosphérique : 91 fois celle de la Terre
Diamètre apparent : 62" (conjonction inférieure) ; 10" (conjonction supérieure)
Intervalle entre deux conjonctions inférieures : 584 jours
Magnitude maximale : — 4,4

▼ **Ces clichés** réalisés avec des ouvertures de 90 mm et 150 mm montrent les faibles ombres des nuages.

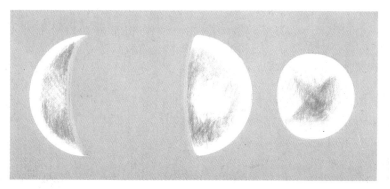

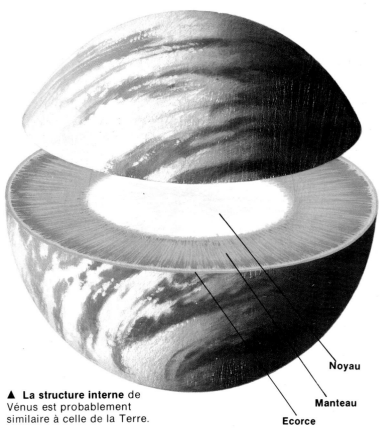

▲ **La structure interne** de Vénus est probablement similaire à celle de la Terre.

Noyau

Manteau

Ecorce

▼ **Les phases** de Vénus.

Mars ♂

Mars est la seule planète du système solaire à nous offrir une vue raisonnable de sa vraie surface. Mais comme elle est très rarement en bonne position pour être observée, la planète pose plus de questions qu'elle n'apporte de réponses aux amateurs comme aux professionnels de l'astronomie.

Mars est en opposition tous les 26 mois à peu près, mais à cause de l'excentricité de son orbite, la planète est beaucoup plus proche de nous à certaines de ses apparitions qu'à d'autres (56 millions de kilomètres de distance en 1971 contre 100 millions de kilomètres en 1980).

Quelques renseignements utiles

Les oppositions réellement favorables se produisent tous les 17 ans, environ ; la prochaine est attendue pour 1986. Mais Mars approche et recule si rapidement que l'observateur ne dispose que de quelques semaines pour opérer efficacement. Au moment où

la planète apparaît, vous pouvez essayer de suivre sa rapide trajectoire à la jumelle. Avec un télescope de 60 mm d'ouverture, vous découvrirez les taches sombres et les calottes polaires de Mars. Essayez de suivre l'une des taches

---

CARACTÉRISTIQUES DE MARS

Température de surface : —20°C/—200°C
Gravité : 0,38 fois celle de la Terre
Densité : 3,95 fois celle de l'eau
Atmosphère : très mince. Surtout du gaz carbonique
Diamètre apparent : 14"/25" (opposition) ; 3" (conjonction)
Intervalle entre deux oppositions : 780 jours
Magnitude maximale : —2,5

▶ **Une photographie** de Mars prise de la Terre.

▼ **Trois dessins** de Mars exécutés par des astronomes amateurs.

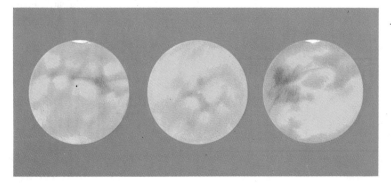

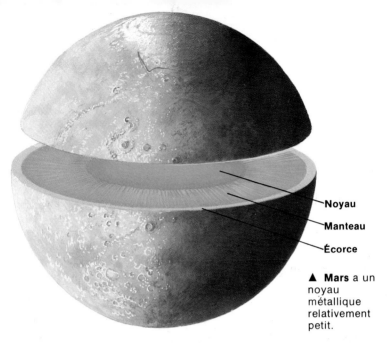

Noyau

Manteau

Écorce

▲ **Mars** a un noyau métallique relativement petit.

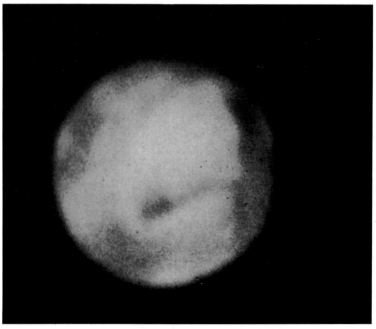

127

pendant une heure (elle se déplace de droite à gauche dans le télescope).

Une planète décevante

En 1896, l'observateur américain Percival Lowell construisait dans l'Arizona un observatoire exclusivement consacré à l'étude de Mars. Il croyait avoir découvert à la surface de la planète un réseau de canaux — preuve évidente de l'existence d'une vie intelligente. Malheureusement, ces lignes droites observées par Lowell et d'autres n'existent pas.

L'atmosphère de Mars

L'atmosphère de Mars est très ténue — moins du centième de la densité de la nôtre — et composée principalement de gaz carbonique. Par contre, des vents violents peuvent y souffler la poussière en énormes nuages, visibles de la Terre parce qu'ils oblitèrent telle ou telle portion du relief ; même les calottes polaires ont parfois disparu. Les plus violentes de ces tempêtes de poussière se déclenchent lorsque Mars approche de son périhélie (point de son orbite où sa distance au Soleil est la plus courte).

On peut également voir des nuages blancs, généralement près du limbe de la planète, où ils sont presque aussi brillants que la calotte polaire. Comme celle-ci, ils sont constitués de glace.

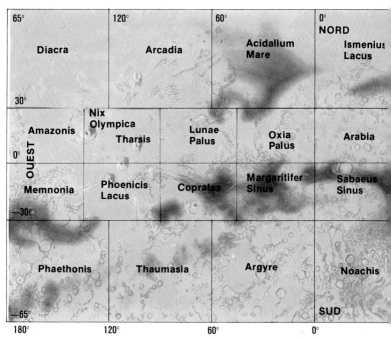

La vie sur Mars

Aujourd'hui, même après les extraordinaires atterrissages « Viking » (1976), nous ne savons toujours pas si la vie existe sur Mars. Au cas où celle-ci existerait, elle ne pourrait toutefois se manifester qu'au niveau de la bactérie.

Les deux sites examinés n'ont rien révélé quant à l'existence d'organismes vivants. Mais la surface de Mars est si variée que ces constatations ne permettent pas de trancher. Malheureusement, aucun lancement de sonde spatiale n'est programmé pour les années à venir.

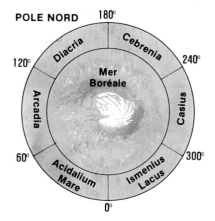

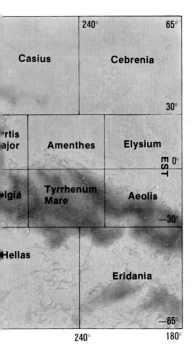

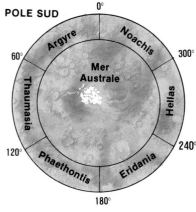

◄ **Ces cartes** montrent la surface de Mars telle que l'ont « vue » les sondes spatiales. Les zones sombres visibles de la Terre sont ombrées. Deux des éléments de relief les plus évidents sont la région sombre de Syrtis Major et celle, claire, de Hellas. L'énorme volcan Nix Olympica, haut de quelque 30 km, est creusé d'un cratère de 65 km de diamètre.

129

Jupiter ♃

Pour l'observateur amateur, Jupiter constitue la planète idéale, ne serait-ce que par sa taille : un grossissement de 40 seulement la fait apparaître aussi grosse que la Lune. La planète possède quatre satellites brillants, à savoir, à partir de la planète vers l'extérieur : Io, Europe, Ganymède et Callisto. Tous sont visibles avec de bonnes jumelles.

Avec une ouverture de 60 mm et un grossissement de 100 à peu près, on découvre des détails de la « surface » (en réalité la couche nuageuse supérieure). Les ceintures présentent des bourrelets et des irrégularités ; la Grande Tache Rouge disparaît presque parfois, mais elle est souvent visible.

Jupiter tourne si rapidement sur lui-même qu'il est notablement aplati aux deux pôles. Une observation de cinq à six minutes montrera que les marques qui tachent son disque se déplacent d'est en ouest, du fait de la rotation. Les dessins ci-dessous donnent une idée des détails que peut mettre en évidence un télescope d'amateur normal.

Observer les satellites

Il est intéressant de tenter de chronométrer leurs trajectoires orbitales en notant combien de temps il leur faut pour revenir à une position donnée. Essayez également de repérer les ombres qu'ils projettent lorsqu'ils passent devant le disque de Jupiter.

CARACTÉRISTIQUES DE JUPITER

Température au sommet des nuages : —150°C
Gravité : 2,7 fois celle de la Terre
Densité : 1,3 fois celle de l'eau
Composition : hydrogène, hélium, principalement
Diamètre apparent : 47" (opposition) ; 32" (conjonction)
Intervalle entre deux oppositions : 399 jours
Magnitude maximale : —2,5

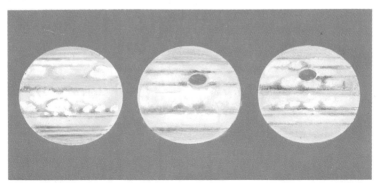

▲ **Jupiter** photographié par l'une des sondes « Voyager ».

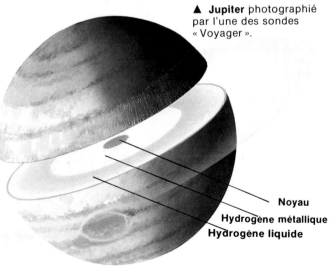

Noyau

Hydrogène métallique

Hydrogène liquide

◀ **Jupiter** vu à travers un télescope de 100 mm d'ouverture

▲ **Jupiter** est constitué principalement de gaz ou de liquide, avec un minuscule noyau.

Saturne ♄

Saturne était autrefois connue comme la planète aux anneaux mais l'on sait aujourd'hui qu'elle partage cette particularité avec Jupiter et Uranus. Néanmoins si les anneaux entourant ces deux dernières sont invisibles, ceux de Saturne constituent l'une des splendeurs du ciel nocturne.

Au télescope, on distingue trois anneaux principaux mais les sondes « Voyager » en ont, en fait, découvert des centaines, larges de quelques kilomètres seulement — certains concentriques d'autres entrelacés.

Les anneaux sont situés dans le plan de l'équateur de Saturne. Du fait de l'inclinaison de l'axe de la planète, ils nous apparaissent sous différents angles au fil de l'« année » saturnienne.

La surface et les lunes
Le globe de Saturne est plus aplati encore que celui de Jupiter. Sa période de rotation est

◄ **Deux gros plans** de Saturne et de ses anneaux pris par « Voyager » : on aperçoit les nombreux petits anneaux.

► **Au cours de la révolution** de Saturne (29 1/2 ans) chacun des pôles et chacune des faces des anneaux sont successivement tournés vers la Terre et vers le Soleil.

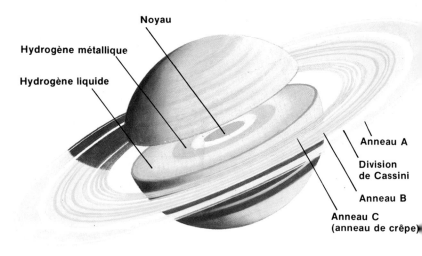

Noyau

Hydrogène métallique

Hydrogène liquide

Anneau A

Division
de Cassini

Anneau B

Anneau C
(anneau de crêpe)

légèrement plus longue, mais la planète est fort peu consistante — sa densité moyenne est inférieure à celle de l'eau. Les ceintures sont beaucoup plus faibles que celles de Jupiter et les taches remarquables rares.

Dix-sept satellites au moins ont été découverts — dont huit par les sondes spatiales. Titan (5 200 km de diam.) est le plus important mais certains de ces objets sont plus petits même que des astéroïdes.

En observant Saturne

Avec un grossissement de 50 environ, on découvre les anneaux, et avec un grossissement supérieur, la division de Cassini. De bonnes jumelles vous permettront de voir Titan mais il vous faudra un petit télescope pour identifier les autres lunes.

▲ **Saturne** est probablement de constitution très similaire à celle de Jupiter.

**CARACTÉRISTIQUES
DE SATURNE**

Système d'anneaux :
 Diamètre extérieur
 272 300 km
 Diamètre intérieur
 149 300 km
**Température au sommet
 des nuages :** —180°C
Gravité : 1,2 fois celle de
 la Terre
Densité : 0,7 fois celle de l'eau
Composition globale :
 hydrogène, hélium
Diamètre apparent du globe :
 19 1/2'' (opposition) ;
 16'' (conjonction)
**Intervalle entre deux
 oppositions :** 378 jours
Magnitude maximale : —0,3

Uranus ⚇, Neptune ♆ et Pluton ♇

▲ **Un dessin** montrant les planètes lointaines (échelle non respectée). De gauche à droite : Uranus, Neptune et Pluton.

Nous n'avons qu'une connaissance limitée des trois planètes extérieures de notre système. On ne connaît pas exactement la mesure du diamètre et de la période de rotation d'Uranus et de Neptune ; quant à Pluton, il est trop petit pour présenter un disque.

Uranus est à peine visible à l'œil nu et n'était même pas connu avant 1781, date à laquelle William Herschel découvrit cette nouvelle planète alors qu'il observait le ciel avec un réflecteur de 150 mm. Neptune et Pluton ont été trouvés à la suite de recherches délibérées conduites par des astronomes professionnels : Neptune par Adams et Leverrier en 1846, Pluton par Tombaugh en 1930.

Anneaux et satellites

Uranus et Neptune semblent avoir une structure de planètes géantes. Tous deux sont composés d'un noyau solide recouvert d'une épaisse couche d'hydrogène, d'hélium et de méthane. Uranus est particulièrement étrange : il est entouré de faibles anneaux, découverts en 1977 parce qu'ils occultaient et affaiblissaient une étoile, et son axe est si incliné qu'au cours de sa trajectoire « annuelle » la planète présente presque directement chacun de ses pôles au Soleil.

Alors qu'Uranus a cinq satellites, Neptune n'en possède que deux : l'un d'entre eux, Triton, est plus gros que la Lune, l'autre, le minuscule Néréide, décrit une orbite des plus excentriques.

Le petit Pluton est accompagné dans sa course par le curieux satellite Charon, à moitié aussi gros que lui. L'orbite de Pluton est si excentrique qu'entre 1979 et 1999 il s'approchera plus près du Soleil que Neptune.

Quelques renseignements utiles

Uranus et Neptune sont visibles à la jumelle à condition que l'on connaisse leur position. Il vous faudra vous référer à un almanach astronomique pour savoir dans quelle portion de ciel chercher l'un ou l'autre.

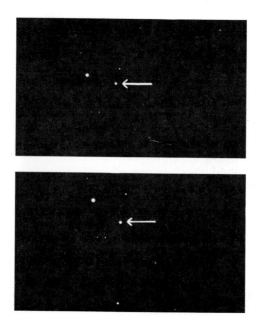

▲ **Uranus** et ses cinq satellites connus. L'aspect de « volant » résulte d'un phénomène photographique.

◄ **Neptune** n'a que deux satellites connus : Triton (près de la planète) et Néréide, dont l'orbite varie entre 1,5 et 10 millions de kilomètres.

◄ **Pluton** est trop petit pour être vu sous forme de disque. On le distingue des étoiles sur les clichés de gauche pris au cours de deux nuits successives, à cause de son changement de position. Avec une ouverture de 250 mm, Pluton est un petit point faible.

Les débris du système solaire

Les planètes se sont formées à partir de la nébuleuse originelle par agglomération de minuscules particules. Dans certains cas, le processus a été interrompu et il en est résulté de petits corps de quelques kilomètres de diamètre seulement. Il est arrivé que des corps plus gros entrent en collision et se brisent, constituant la zone d'astéroïdes ou planètes mineures concentrée entre les orbites de Mars et de Jupiter.

Les astéroïdes
Cérès, le plus gros des astéroïdes, a 1 000 km de diamètre mais la plupart des 2 200 autres découverts jusqu'ici sont beaucoup plus petits. Vesta (540 km de diam.) atteint parfois la 6e magnitude.

▼ **La plupart des astéroïdes** connus se situent dans la zone comprise entre les orbites de Mars et de Jupiter. Icare, Adonis, Eros et Chiron sont parmi les rares à décrire des orbites excentriques.

▶ **Ce brillant bolide** a été pris accidentellement par un amateur en train de photographier les étoiles.

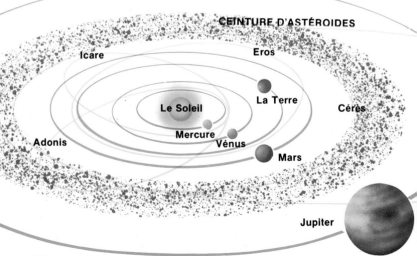

CEINTURE D'ASTÉROIDES

Icare

Eros

La Terre

Le Soleil

Cérès

Mercure

Vénus

Adonis

Mars

Jupiter

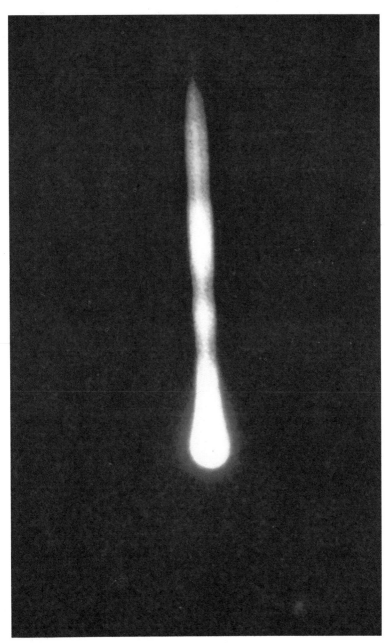

En observant les astéroïdes

Un astéroïde ne se distingue d'une étoile que par son mouvement nocturne, à moins de posséder un bon atlas d'étoiles. Si l'on connaît la position approximative d'un astéroïde, on verra qu'une des « étoiles » du champ s'est déplacée. Sur un cliché pris avec un long temps d'exposition aux abords de l'écliptique, les astéroïdes dessineront de petites traînées.

▶ **La surface de Deimos** — minuscule lune de Mars — a été photographiée en 1976 par l'une des sondes orbitales « Viking ». Nombre d'astéroïdes lui ressemblent probablement.

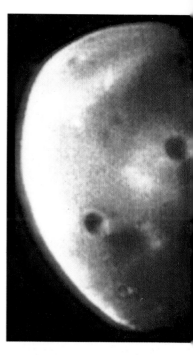

▼ **Ce cliché** porte les traces des nombreux météores que l'on a pu voir lors des Léonides de novembre 1966. Il est très rare que le phénomène soit aussi important.

140

Les météores

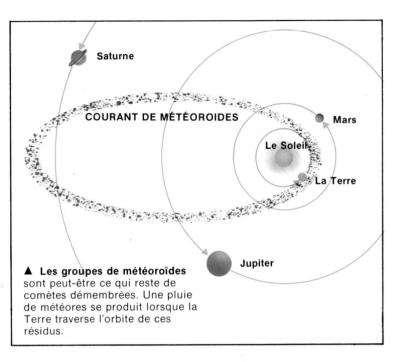

COURANT DE MÉTÉOROIDES

Saturne

Mars

Le Soleil

La Terre

Jupiter

▲ **Les groupes de météoroïdes** sont peut-être ce qui reste de comètes démembrées. Une pluie de météores se produit lorsque la Terre traverse l'orbite de ces résidus.

Les météoroïdes — fragments de matière solide de quelques centimètres de diamètre seulement — parsèment le système solaire. Certains tournent en solitaires autour du Soleil, d'autres voyagent en groupe.

La Terre se déplace à une vitesse de 30 km/s, et lorsqu'elle rencontre un météoroïde, la vitesse relative des deux corps avoisine les 60 km/s dans le cas où la collision se fait de plein fouet. A cette vitesse, le météoroïde se désintègre dans l'atmosphère, laissant une traînée brillante que l'on appelle *météore* ou étoile filante.

Les objets individuels produisent des météores *sporadiques* que l'on aperçoit régulièrement tout au long de l'année. Par contre, si la Terre traverse un groupe de météoroïdes, il se produit ce qu'on appelle une *pluie de météores.* Cette pluie se reproduira chaque année lorsque l'orbite de la Terre croisera celle du flot de météoroïdes.

Quand la Terre entre en collision avec un corps plus gros — de plusieurs kilogrammes voire plusieurs tonnes — celui-ci laisse une traînée si brillante qu'elle illumine tout le paysage. Il peut arriver que le corps atteigne le sol sous forme de *météorite.*

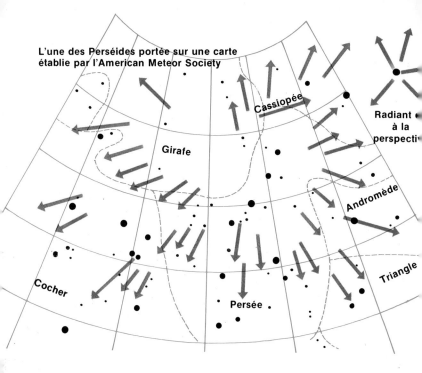

L'une des Perséides portée sur une carte établie par l'American Meteor Society

Cassiopée

Radiant à la perspecti...

Girafe

Andromède

Triangle

Cocher

Persée

En observant les météores

Les météores sporadiques sont visibles par une nuit claire ; ils sont plus fréquents et plus brillants à l'aube. Les pluies de météores, elles, se produisent à des périodes précises de l'année (voir table p. suivante). L'éclat de la Lune peut parfois supplanter celui des météores les plus faibles dont l'observation est donc subordonnée aux phases de la Lune.

Il est souvent plus amusant d'observer les pluies de météores à cinq ou six. Quatre observateurs, par exemple, se partagent la partie inférieure du ciel, un cinquième se charge de la portion zénithale et le sixième prend les notes.

Les données les plus importantes à recueillir sont : l'heure (à 1/2 mn près), la magnitude, la vitesse (rapide, moyenne, lente), la couleur et éventuellement la persistance d'une traînée. Il est également intéressant de calculer la Fréquence Horaire (HR) des météores.

Les observateurs expérimentés peuvent tenter de noter les trajectoires des météores par rapport aux étoiles. Les pluies de météores semblent toujours venir d'un même point du ciel : le *radiant*. La pluie de météores tire son nom de la constellation dans laquelle se trouve le radiant.

LES PLUIES DE MÉTÉORES

Certaines pluies de météores ont un temps d'activité maximale de quelques heures seulement, et ce à des dates qui varient d'année en année du fait des ajustements apportés (on sait que la durée réelle de l'année terrestre n'est pas exactement de 365 jours). Les dates idéales auxquelles observer Quarantides, Lyrides d'avril, Perséides et Géminides sont données en pp. 175... Quant aux Aquarides, elles sont plus aisées à observer dans l'hémisphère sud.

Pluie	Période d'activité	Activité maximale	HR maximale (approx.)
Quarantides	1-6 janv	3-4 janv	50
Lyrides d'avril	19-24 avr	22 avr	10
Aquarides η	1-8 mai	5 mai	10
Aquarides δ	15 juil-15 août	27 juil	25
Perséides	25 juil-18 août	12 août	50
Orionides	16-26 oct	20 oct	20
Taurides	20 oct-30 nov	18 nov	8
Léonides	15-19 nov	17 nov	6 ?
Géminides	7-15 déc	14 déc	50

▶ **Le plus grand cratère** météoritique connu — le « Barringer » (1 300 m de diam.) —, situé en Arizona, a peut-être 50 000 ans. Ci-dessous, un météorite et sa surface creusée par la vaporisation qui a lieu pendant sa traversée de l'atmosphère terrestre.

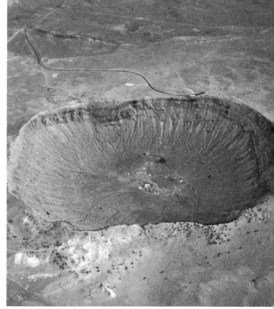

Les comètes

L'idée habituelle que l'on se fait d'une comète est celle d'un objet suivi d'une longue queue brillante. Rares sont pourtant les comètes qui répondent à cette description. La plupart, de par leur manque d'éclat, rappelleraient plutôt les bombes fumigènes, même à travers un puissant télescope. Sans compter celles qui traversent le ciel inaperçues.

Comme les astéroïdes, les comètes sont probablement des membres originels du système solaire. Ce sont de petits corps constitués d'eau gelée et d'autres composés. Dans la plupart des cas, leur orbite est très excentrique.

Quand elles se rapprochent du Soleil, le matériau gelé se vaporise et ne forme plus ciment. Le gaz et la poussière constituent alors la *chevelure* — c'est-à-dire tout ce que les astronomes voient généralement d'une comète. Si la comète passe à proximité du Soleil, la radiation solaire peut balayer le matériau qui forme alors une longue queue.

144

◄ **La comète West,** de 1976, est l'une des plus brillantes comètes du siècle. Ce cliché provient de l'Observatoire national de Kitt Peak, Arizona.

▼ **La comète Koňoutek** découverte en 1973 par Lubos Kohoutek, à l'Observatoire de Hambourg.

En observant les comètes

Ce sont souvent des amateurs qui découvrent de nouvelles comètes. Il faut pour cela fouiller régulièrement le ciel à l'aide d'un instrument de faible grossissement (par exemple 30) et de 100 à 200 mm d'ouverture.

Les comètes étant plus brillantes quand elles sont proches du Soleil c'est — dans le ciel occidental — après le crépuscule et avant l'aube qu'il vaut mieux les rechercher. Un ciel très sombre et transparent vous offrira de meilleures chances de réussite. Quelques rares comètes, telles Kohoutek, ont été trouvées par hasard mais, pour la plupart, leur découverte est le résultat d'années de patientes observations.

▼ **La comète de Halley** recule à l'aphélie au-delà de l'orbite de Neptune ; en ce moment, elle se rapproche du Soleil.

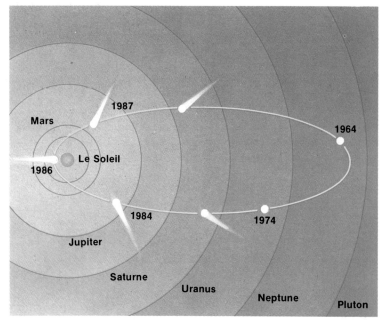

▲ **La comète de Halley** et Vénus photographiées en 1910 en Afrique du Sud.

▲ **Une gravure** représentant la comète de Halley sur Jérusalem en 66 après J.-C. Extrait de *Historia Universalis Omulum Cometarum,* de Lubienietski.

QUELQUES COMÈTES IMPORTANTES			
Nom	Période orbitale (en années)	Dernière apparition	Remarques
Encke	3,3	1980	Parfois visible à la jumelle ; la plus courte période connue.
Biéla	6,6	1852	On l'a vue se briser. Une pluie de météores s'est produite lorsque, par la suite, la Terre est passée près de sa position.
Schwassmann-Wachmann	16,1	—	Toujours plus éloignée que Jupiter, elle revient chaque année en opposition.
Halley	76,0	1910	Prochain passage au périhélie : 1986.
Comète visible de jour	750 ?	1882	Probablement la plus brillante comète des temps modernes.
Donati	1900 ?	1858	Célèbre pour sa queue incurvée de 40° de long.
Comète visible de jour	4 000 000	1910	Probablement la plus brillante comète du XXe siècle.

L'astronomie atmosphérique

A supposer que la Terre soit privée d'atmosphère (mis à part le fait que toute vie y serait impossible), la tâche de l'astronome serait nettement simplifiée. Le ciel serait toujours transparent, dépourvu de nuages et les étoiles proches de l'horizon brilleraient aussi fort que celles qui se trouveraient à la verticale de l'observateur.

Certains phénomènes — telles les *aurores boréales* ou *australes* —, qui se produisent dans la haute atmosphère, n'existeraient pas. D'autres — *lumière zodiacale, bande zodiacale, Gegenschein (effet antisolaire)* — qui se produisent dans l'espace, se verraient mieux.

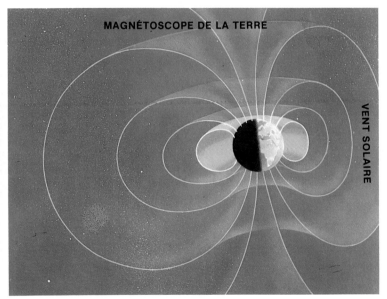

MAGNÉTOSCOPE DE LA TERRE

VENT SOLAIRE

◄ **Les aurores,** spectacle inoubliable, se produisent le plus souvent dans les périodes d'activité maximale des taches solaires, alors que le Soleil émet d'extraordinaires quantités de radiations qui font luire la couche supérieure de l'atmosphère.

▲ **De toutes les planètes** telluriques, c'est la Terre qui possède le plus important champ magnétique. Les particules chargées électriquement émises par le Soleil sont emprisonnées dans des enveloppes positives (protons) ou négatives (électrons).

Les aurores

Les aurores ont un rapport avec l'activité solaire. Près du niveau du sol, l'atmosphère est composée d'azote, d'oxygène et d'autres éléments à l'état de molécules stables. Mais à partir de 50 km d'altitude environ, l'air est si ténu que les molécules se séparent facilement en atomes — atomes qui eux-mêmes peuvent être brisés par l'énergie solaire.

Quand la surface du Soleil est particulièrement active, elle irradie des particules atomiques qui « excitent » ces atomes. Ceux-ci expulsent le surplus d'énergie sous forme de lumière : on assiste alors à une aurore. Les aurores se produisent surtout dans la haute atmosphère et près des pôles terrestres — lieu où les particules trouvent plus aisément leur chemin à travers le champ magnétique.

Notes d'observation

Une aurore faible se présente souvent sous la forme d'une lueur diffuse au-dessus de l'horizon septentrional (et inversement dans l'hémisphère sud). Elle peut se développer en rayons qui s'étendent vers le zénith, avec déploiement de couleurs rouge et verte.

Lorsqu'une aurore est prévisible, notez régulièrement (toutes les cinq minutes, par exemple) l'état de son développement en hauteur et en longueur. En principe, c'est à des latitudes de 60° nord ou sud que les aurores sont le mieux visibles.

La lumière zodiacale

Elle est le résultat de la réflection de la lumière solaire par la poussière interplanétaire et prend la forme d'un cône lumineux qui longe l'écliptique.

Aux latitudes élevées, elle décrit un angle très faible avec l'horizon et il est difficile de la voir. Aux latitudes de 35° et moins, elle est parfois capable de supplanter la lumière des étoiles.

Au printemps, c'est à l'ouest, après le crépuscule, et en automne à l'est, juste avant l'aube (inverser ces données pour l'hémisphère sud, qu'il faut la chercher. Un ciel très sombre et des yeux bien adaptés à l'obscurité sont indispensables.

Le Gegenschein

C'est un phénomène également causé par la poussière interplanétaire. Il arrive qu'on l'aperçoive sous forme d'une tache très faible de plusieurs degrés de large, dans une position diamétralement opposée à celle du Soleil. Il est plus faible que la lumière zodiacale ou que la Voie Lactée. C'est vers minuit qu'il convient de l'observer — au début de novembre, pour l'hémisphère nord, période où il se produit dans le Bélier (Cartes d'étoiles 2 et 3). Les observateurs de l'hémisphère sud le chercheront début février, dans le Capricorne (Carte d'étoiles 7).

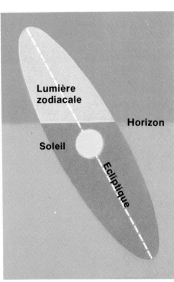

▲ **La lumière zodiacale** se manifeste en permanence dans le ciel nocturne. Elle est produite par la réflection de la lumière solaire sur les innombrables particules situées dans le plan du système solaire, d'où une forme très allongée. Le phénomène est très faible de sorte que les photographies de lumière zodiacale sont rares. Ci-dessus, la traduction artistique du phénomène, vu en Ecosse.

◄ **Croquis** montrant comment la lumière zodiacale apparaît par rapport au Soleil.

151

La Voie Lactée et au-delà

Toutes les étoiles visibles dans le ciel nocturne appartiennent à la Voie Lactée, notre Galaxie. Longtemps, les astronomes n'ont pu se faire une idée claire de ce à quoi ressemblait la Galaxie car, de l'intérieur de ce système d'étoiles, nous n'en avons qu'une pauvre vision. C'est en étudiant d'autres galaxies que les chercheurs ont fini par savoir quelle forme avait la nôtre.

Comme la galaxie d'Andromède, distante de deux millions d'années-lumière, la Voie Lactée a la forme d'une spirale allongée. C'est l'une des composantes d'un groupe de 20 qui constituent un gros amas et que l'on nomme le Groupe Local. La plupart des galaxies du Groupe Local sont des naines de forme elliptique, beaucoup plus petites que la Voie Lactée. Notre amas mesure quelque deux millions et demi d'années-lumière, ce qui n'est pas énorme comparé à certains autres groupes. Les astronomes parviennent à observer les étoiles les plus brillantes des galaxies voisines : elles sont similaires à celles de la Voie Lactée.

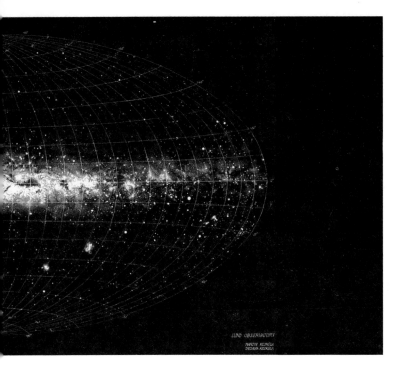

LA GALAXIE

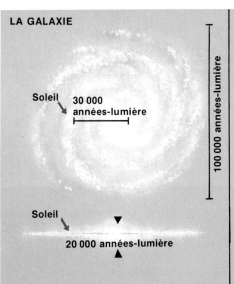

Soleil 30 000 années-lumière

100 000 années-lumière

Soleil

20 000 années-lumière

▲ **La Galaxie** telle qu'on la verrait de l'espace. La position du Soleil (voir croquis de gauche), à 30 000 années-lumière, a pour conséquence que nous voyons beaucoup plus d'étoiles en regardant vers le noyau (en direction du Sagittaire). La Voie Lactée contient jusqu'à 100 000 millions d'étoiles, mais est constituée au moins pour la moitié de poussière interstellaire non lumineuse. Cette photo ne montre pas le halo d'amas globulaires.

153

Des galaxies dans l'espace

Aussi loin que portent les télescopes, l'espace est parsemé de galaxies. Pendant de nombreuses années, les astronomes ont douté de l'existence de galaxies hors la nôtre, et considéraient, par exemple, M31 d'Andromède comme un amas local.

Vers 1920, les scientifiques ont réalisé que M31 devait être beaucoup plus éloigné qu'ils ne le pensaient puisqu'on y découvrait des variables céphéides qui paraissaient plus faibles que les plus lointaines céphéides connues de la Voie Lactée. Plus tard, ils découvrirent également des novæ dont la magnitude absolue présumée leur permit de situer M31 à 2 200 000 années-lumière de distance.

Malheureusement, on n'a pu trouver ni céphéides ni novæ dans les lointaines galaxies, de sorte qu'il a fallu utiliser d'autres méthodes pour déterminer leur éloignement. L'une d'elles est basée sur le décalage du spectre de la lumière vers le rouge (voir p. 160). Une autre consiste à émettre des hypothèses à partir de la magnitude de toute la galaxie (la magnitude absolue de M31, par exemple, est de — 21 environ, soit l'éclat de 25 milliards d'étoiles aussi lumineuses que le Soleil).

Cette méthode présente une difficulté, à savoir que la taille et l'éclat des galaxies varient énormément. Certaines galaxies naines du Groupe Local ont des magnitudes absolues ne dépassant pas — 9, ce qui n'est guère plus brillant qu'une seule supergéante très lumineuse ! D'autres sont beaucoup plus lumineuses que la Voie Lactée.

Néanmoins, il semble que les étoiles des autres galaxies s'intègrent dans le diagramme de Hertzsprung-Russell. Dans tout l'univers, le processus de formation des étoiles est donc identique.

▲ **M82 de la Grande Ourse :** une galaxie irrégulière distante de 8 1/2 millions d'années-lumière. La galaxie de Seyfert, ci-dessous, a un noyau inhabituellement brillant.

▶ **La galaxie du Tourbillon,** M51, a été la première spirale découverte. M31 d'Andromède (ci-dessous) constitue son brillant pendant dans la Voie Lactée.

Les diverses classes de galaxies

Parmi les dizaines de milliers de galaxies photographiées à ce jour, la grande majorité se classe dans l'une ou l'autre des catégories suivantes : spirale (normale et barrée), elliptique (comme le noyau d'une spirale, sans les bras), irrégulière.

Les populations d'étoiles varient considérablement d'une classe de galaxie à l'autre. Les Nuages de Magellan, par exemple (galaxie irrégulière), contiennent beaucoup de jeunes étoiles et de novæ. Dans les galaxies spirales, étoiles jeunes et vieilles coexistent. Dans les « bras », on trouve géantes blanches, naines jaunes et blanches, gaz et poussière ; le noyau compte surtout de vieilles géantes rouges.

Les galaxies elliptiques constituent le type le plus courant. Elles comportent surtout des géantes rouges, très rarement de faibles étoiles rouges : les plus faibles galaxies du Groupe Local sont elliptiques, de même que les brillantes galaxies satellites de M31, dans Andromède. L'absence de poussière et de gaz signifie qu'il n'y a pas de nouvelles étoiles en formation dans ces systèmes d'étoiles particuliers.

▶ **Les Nuages de Magellan** sont visibles pour les observateurs dans l'hémisphère sud.

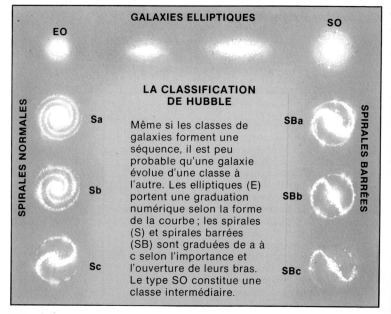

GALAXIES ELLIPTIQUES

EO   SO

SPIRALES NORMALES

Sa
Sb
Sc

LA CLASSIFICATION DE HUBBLE

Même si les classes de galaxies forment une séquence, il est peu probable qu'une galaxie évolue d'une classe à l'autre. Les elliptiques (E) portent une graduation numérique selon la forme de la courbe ; les spirales (S) et spirales barrées (SB) sont graduées de a à c selon l'importance et l'ouverture de leurs bras. Le type SO constitue une classe intermédiaire.

SPIRALES BARRÉES

SBa
SBb
SBc

En observant les galaxies

Dans l'observation des galaxies, la chasse en elle-même constitue une bonne partie du plaisir car, même pour le plus patient des observateurs, découvrir une galaxie représente une véritable gageure.

Premier écueil : seul M31, dans Andromède, est visible à l'œil nu. Mais vous pouvez commencer par vous consacrer à cette galaxie. Au moment où elle est bien placée, prenez quelques minutes pour l'examiner à la jumelle ou à l'aide d'un petit télescope. Même si ce n'est qu'une faible tache de brume, posez-vous les questions qui suivent et efforcez-vous d'y répondre.

De quelle forme est-elle ? Quelle est la direction de son axe longitudinal ? Quelle est sa taille en degrés, minutes et secondes d'arc ? Comment l'éclat varie-t-il du centre au bord ? Le centre est-il la partie la plus brillante ? La galaxie est-elle parcourue de zones sombres, ou brillantes ? Y a-t-il des étoiles proches ou qui s'y projettent ? Peut-on déceler une couleur ? A quoi ressemble la galaxie satellite M32 ?...

En vous habituant à procéder avec cette rigueur, vous vous apercevrez que votre faculté d'observation s'améliore au fil du temps.

▼ Le «**Big Bang**» (explosion originelle). On suppose que l'univers est né d'une formidable explosion (1). L'hydrogène a commencé à se former (2), les galaxies à se condenser (3). Des galaxies de plus en plus développées (4) continuent à s'éloigner du centre de l'explosion.

(3)

(2)

(1)

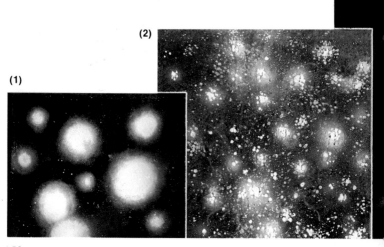

L'origine de l'univers

La plupart des astronomes admettent l'idée d'un univers en constante expansion depuis l'explosion originelle (« Big Bang »). Les galaxies s'éloignent les unes des autres et ce, d'après les scientifiques, depuis 20 milliards d'années.

Les physiciens ont tenté d'analyser ce qu'était la matière originelle qui a donné naissance à tout ce que nous voyons dans l'univers. A supposer que toute la matière ait existé à l'origine, cela signifie que l'*atome primitif* (ou *noyau explosif*) était constitué d'une masse de particules atomiques, à une température de millions de millions de degrés. Une fois l'expansion commencée, la température aurait chuté spectaculairement. Finalement, le chaos de particules aurait commencé à s'organiser pour former les éléments que nous connaissons aujourd'hui ; à commencer par l'hydrogène, le plus simple et le plus courant.

La théorie du « Big Bang » tire sa légitimité de la découverte d'une faible radiation se répandant dans l'espace et qui constituerait les dernières traces de l'explosion originelle.

(4)

Le déplacement vers le rouge

La lumière voyage dans l'espace par minuscules impulsions, à une vitesse de 300 000 km/s. La couleur de la lumière dépend de la distance séparant deux impulsions, ou *longueur d'onde*. Lorsqu'une source lumineuse — étoile ou galaxie — se déplace rapidement, la longueur d'onde est comme « étirée » et dans la mesure où le rouge a une plus grande longueur d'onde que le bleu, les raies du spectre se déplacent alors vers l'extrémité rouge. Tous les amas de galaxies, hormis ceux du Groupe Local, montrent un déplacement vers le rouge, ce qui prêche en faveur de l'expansion de l'univers.

Ces galaxies dont l'éloignement peut être mesuré avec une relative précision se conforment à une loi selon laquelle le déplacement vers le rouge des raies du spectre est proportionnel à la distance à laquelle elles se trouvent. Si l'on admet cette loi comme correcte, on peut en déduire que les objets les plus lointains observés à ce jour se trouvent à 10 milliards d'années-lumière de nous.

La valeur réelle de ce que l'on appelle la « constante de Hubble » est encore soumise à discussions, ne serait-ce qu'à cause des difficultés que présente l'observation, mais elle permet d'évaluer à 30 km/s l'accélération d'expansion par million d'années-lumière de distance.

▼ **Puisque toutes les galaxies** s'éloignent les unes des autres, comment se fait-il qu'on ne trouve pas de point de départ à cette expansion ? De fait, comme l'univers n'a pas de limites, on peut comparer le mouvement des galaxies à celui de points dessinés sur un ballon de baudruche. Lorsqu'on gonfle celui-ci, les points s'écartent sans que l'on puisse en trouver un qui ne se déplace pas.

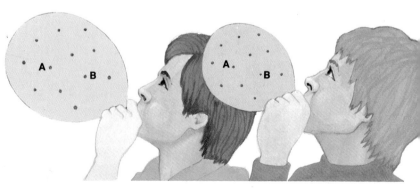

▲ **Les radiotélescopes** sont sensibles aux radiations électromagnétiques (ondes longues). Celui de Maisting (ci-dessus), en R.F.A., capte les signaux des satellites artificiels, tandis que d'autres détectent les radiations de lointaines galaxies.

▼ **Tout corps brillant** émet des radiations électromagnétiques sous forme d'ondes. Si le corps se déplace à grande vitesse, son mouvement fait augmenter ou diminuer la longueur d'onde telle qu'elle est enregistrée par l'observateur.

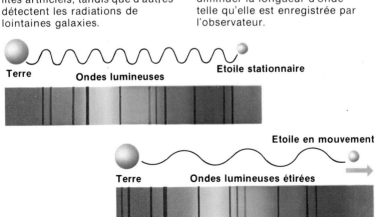

Terre   **Ondes lumineuses**   **Etoile stationnaire**

Etoile en mouvement

Terre   **Ondes lumineuses étirées**

Pulsars et quasars

Les pulsars ont été détectés en 1967 sous forme de faibles mais régulières impulsions radio, si brèves et irrégulières qu'on a cru, au début, à des messages venus de l'espace.

Des travaux ultérieurs ont montré que ces impulsions étaient émises par des objets interstellaires dont certains tournent sur eux-mêmes à une vitesse de 30 tours/s. Ces *étoiles à neutrons* sont ce qu'il reste de l'explosion d'une supernova. Au cours de l'effondrement, la matière s'est comprimée en un corps de quelques kilomètres de diamètre, et donc extrêmement dense (une épingle à cheveux de cette matière pèserait autant qu'un navire de guerre).

Ce qui a étayé cette théorie, c'est la constatation que la faible étoile située au centre de la nébuleuse du Crabe — reste de la fameuse supernova (p. 56) — émettait des impulsions très rapides. L'intense champ magnétique de l'étoile peut condenser sa radiation en un rayon étroit, comme celui d'un phare.

Les quasars

Les quasars (ou corps quasi stellaires) sont les plus puissantes sources d'énergie connues de l'univers. Ils semblent beaucoup plus petits que les galaxies ordinaires (bien que le doute persiste quant à leur taille), mais émettent cent fois plus d'énergie qu'elles. Ce sont des corps bleus, brûlants, et certains d'entre eux ont un éclat variable.

▼ **Un pulsar** émet un étroit rayon d'énergie, probablement créé par l'intense champ magnétique qui condense la lumière en un flot. Lorsque le rayon est dirigé à l'opposé de la Terre (1 et 2) le pulsar est invisible ; en (3) l'astronome assistera à un jaillissement d'émission radio ou de lumière visible. La plupart des pulsars sont des « émetteurs » radio.

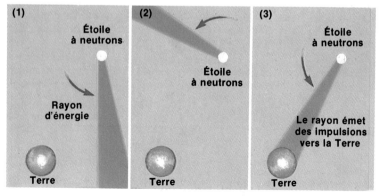

► **Sur ces deux photographies** on voit le pulsar de la Nébuleuse du Crabe. Il est alternativement brillant (en haut) et invisible (en bas) 30 fois par seconde.

▼ **Le quasar 3C 273,** distant d'environ 600 millions d'années-lumière, est l'un des plus proches et des plus brillants (négatif).

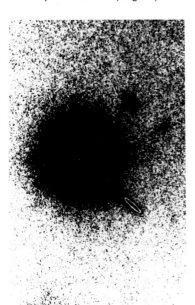

D'importants déplacements vers le rouge

Le spectre de tous les quasars affiche d'importants déplacements vers le rouge ce qui laisse à penser qu'ils sont très éloignés de nous ; nous les voyons tels qu'ils étaient il y a des milliards d'années, alors que l'univers était beaucoup plus jeune qu'aujourd'hui. On est tenté de se demander pourquoi il n'existe pas de quasars proches comme c'est le cas pour les galaxies. Peut-être, répondent les scientifiques, parce qu'on a affaire à des corps très fugaces et qui se sont formés très tôt.

Quasars et pulsars comptent parmi les découvertes astronomiques les plus significatives du siècle. De même que les trouvailles des récentes sondes « Voyager » ont contraint les physiciens à s'interroger sur la nature des anneaux de Saturne, de même la production d'énergie des quasars et la formation des pulsars les ont-elles forcés à réviser leur théorie du monde physique.

L'astrographie à portée de tous

On peut pratiquer l'astrographie sans posséder de télescope. On obtiendra d'excellents clichés d'étoile en utilisant du film couleur rapide comme l'Ektachrome 200 ou 400 et un appareil photographique compact avec une ouverture comprise entre f/2 et f/4.

Les photographies ci-contre ont été prises avec ces moyens simples. Sur celle du bas, on a obtenu les traînées en laissant l'obturateur ouvert dix minutes environ ; la trace rougeâtre proche du centre est celle de α d'Hercule. Si on laisse l'obturateur ouvert une minute seulement, les traînées sont à peine visibles et l'on obtient un cliché comme celui du Cygne. La photographie de la Chevelure de Bérénice a été prise en adjoignant un guide à l'appareil, et avec un temps d'exposition de dix minutes.

▲ **Un appareil photographique** de 35 mm, prêt à opérer. Le flexible adjoint au déclencheur minimise la secousse.

▶ **La Chevelure de Bérénice** (à droite en haut).

▶ **Le Cygne** (au centre), photographié avec un appareil non guidé et un temps d'exposition de 1 mn. Sur le négatif original, on verrait des étoiles de magnitude ne dépassant pas 8. Deneb (α du Cygne) se trouve à gauche.

▶ **Un temps d'exposition de 10 mn** permet de voir les plus brillantes des étoiles visibles à l'œil nu sous forme de traînées courbes (à cause de la rotation de la Terre). A gauche du centre : α d'Hercule ; plus à gauche encore : α d'Ophiucus.

L'astrographie avec un télescope

Pour obtenir des gros plans, il faut adapter l'appareil au télescope de manière que l'image formée par l'objectif ou le miroir converge avec précision sur la pellicule. Certains télescopes sont équipés d'un système de fixation particulier mais vous pouvez en « bricoler » un à l'aide de carton et de ruban adhésif. Retirez d'abord l'objectif de l'appareil photographique.

Choisissez des temps d'exposition de moins de 1 mn si vous ne voulez pas que la rotation de la Terre donne une image brouillée. Le temps d'exposition ne compte pas lorsqu'il s'agit d'une photographie solaire pour laquelle il vous faudra un film lent, un filtre de densité neutre et une vitesse de déclenchement rapide.

Pour obtenir une image plus grosse, intercalez un oculaire entre l'image du télescope et l'appareil : vous obtiendrez ainsi un plus grand nombre de détails. Les clichés ci-contre ont été pris par Peter Crabtree, de la manière décrite, à l'aide du réflecteur de 150 mm photographié en haut et à droite de la page suivante.

▶ **Un réfracteur de taille moyenne** auquel on a adapté un appareil photographique pour prendre des clichés directs du ciel. Les photographies de la Lune en pages 106 et 107 ont été prises de cette manière, avec un temps d'exposition d'une seconde environ.

▶ **Ce réflecteur de 150 mm** à montage équatorial a été utilisé par l'amateur Peter Crabtree pour prendre la photo au-dessous.

◀ **Pour parvenir à photographier le Soleil,** il faut employer impérativement un filtre très dense. Ce cliché montre le disque solaire aux environs de sa période d'activité maximale, en 1980.

▼ **La surface lunaire** est une mine d'or pour l'astrophotographie. Ici le cratère Tycho au milieu des élévations de terrain de la portion méridionale de la Lune.

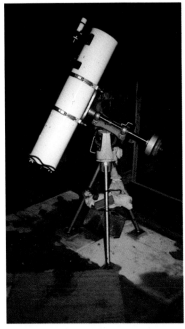

La fabrication d'un cadran solaire

Un cadran équatorial se compose d'un gnomon, parallèle à l'axe de la Terre et qui projette une ombre, et d'une plaque dont le plan est perpendiculaire à celui du gnomon et sur laquelle des lignes indiquent les heures.

Pour fabriquer un tel cadran, découpez un triangle rectangle (1) dont l'un des angles doit être égal à votre latitude. Fixez-le sur une base avant d'y apposer la tige du gnomon (2) que vous maintiendrez à l'aide de ruban adhésif ou de colle.

Pour confectionner le cadran lui-même, tracez un cercle sur une feuille de carton mince et divisez-le en 24 segments de 15° chacun (3). Pliez-le ensuite de

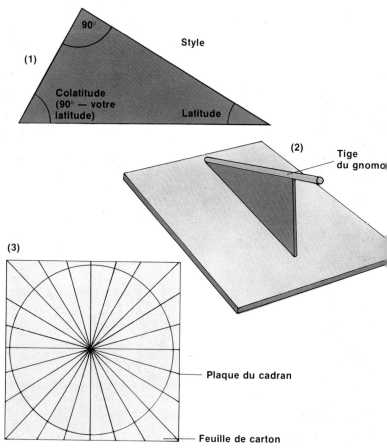

(1)
90°
Style
Colatitude (90° — votre latitude)
Latitude

(2)
Tige du gnomon

(3)
Plaque du cadran
Feuille de carton

façon qu'il s'encastre exacte-sur chaque face (4).

Appliquez le rectangle de carton obtenu contre le style de façon qu'il s'encastre exacte-ment sous la tige du gnomon (5) et inscrivez-y les heures (la ligne médiane représente le midi local) comme en 6.

Le cadran installé, on règle la position de la plaque graduée pour que l'ombre du gnomon tombe exactement sur la ligne centrale à midi.

Le midi sera « en avance » si vous habitez à l'est de votre méri-dien de référence et « en retard » si vous vivez à l'ouest du méri-dien. La différence est de quatre minutes par degré de longitude.

Durant les six mois d'hiver, le Soleil se trouve au sud de l'équa-teur céleste et se projette sur la face interne de la plaque.

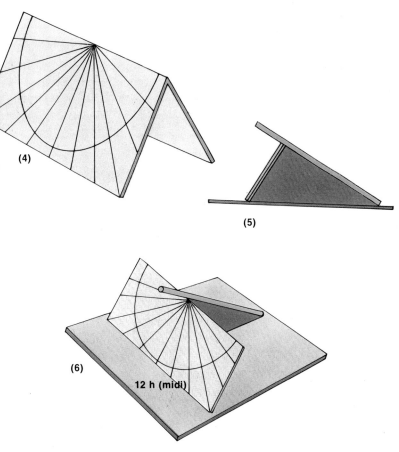

(4)

(5)

(6)

12 h (midi)

Fabriquer un planétarium

Reporter sur papier-calque la longue carte d'étoiles rectangulaire et l'une des cartes polaires de votre choix (voir pp. 172-174). Par piquage, transférez ensuite ces cartes sur une mince feuille de carton (1). Pour les étoiles brillantes (bleues), utilisez une aiguille à repriser (1 mm d'épaisseur), pour les étoiles moyennes (rouges) une épingle dont vous n'enfoncerez que la pointe pour les petites étoiles (noires).

Découpez ensuite un disque de 86 mm de diamètre. Faites-y passer un morceau de bambou et fixez une lampe torche à l'une des extrémités de celui-ci (2 et 3).

Enroulez la longue carte d'étoiles en cylindre que vous agraferez ou collerez avant d'en fixer l'une des extrémités au disque épais. Les fentes éventuelles seront bouchées à l'aide de feuille d'aluminium (4, 5 et 6).

Allumez la torche et agrandissez éventuellement les trous d'épingle de manière que la lumière les traverse bien. Les trous figurant les étoiles proches du bord du cylindre devront être inclinés en direction de la source lumineuse.

Fixez la tige de bambou — tout en lui laissant une certaine mobilité — à un bloc de bois dont l'angle avec l'horizontale soit égal à votre latitude et vous verrez les étoiles naître sur les murs de la pièce (7).

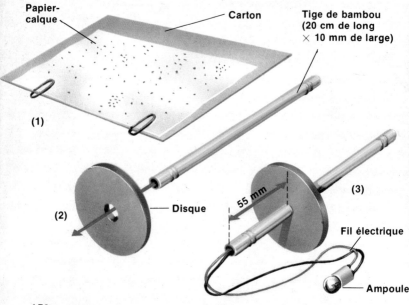

Papier-calque

Carton

Tige de bambou (20 cm de long × 10 mm de large)

(1)

(2)

Disque

55 mm

(3)

Fil électrique

Ampoule

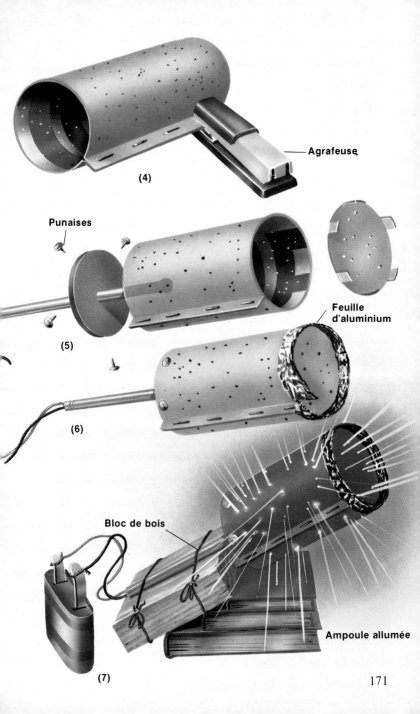

Agrafeuse

(4)

Punaises

(5)

Feuille
d'aluminium

(6)

Bloc de bois

Ampoule allumée

(7)

171

Reportez ces deux pages sur une seule feuille de papier-calque de sorte que le bord supérieur de celle-ci ($\alpha = 12$ h) corresponde avec le bord inférieur de la suivante. Le trait en pointillé indique la ligne de découpe du carton avant pliage.

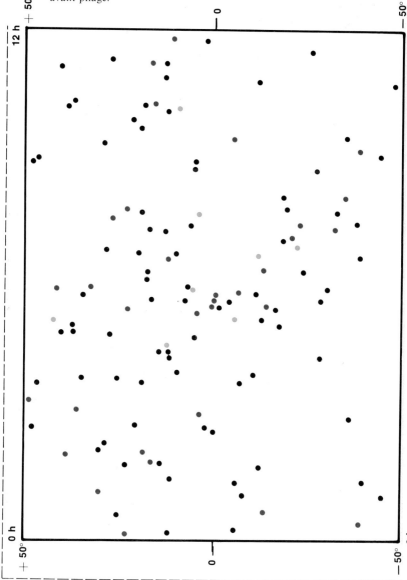

12 h

0 h

+ 50°

+ 50°

0

− 50°

− 50°

0

PLIER ET AGRAFER ICI

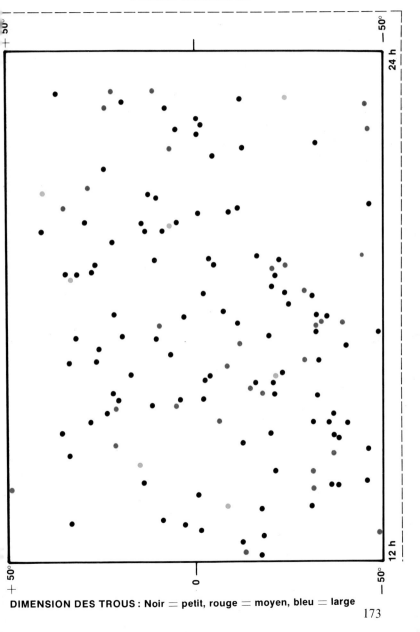

DIMENSION DES TROUS : Noir = petit, rouge = moyen, bleu = large

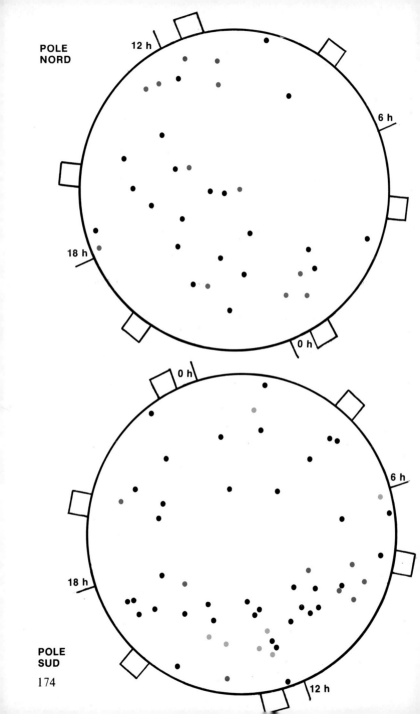

POLE
NORD

12 h

6 h

18 h

0 h

POLE
SUD

0 h

6 h

18 h

12 h

174

Un almanach du ciel

Sur cet almanach sont consignés les phénomènes intéressants attendus pour les cinq prochaines années. Toutes les heures sont données en G.M.T. (si vous voulez observer d'autres minima d'Algol, vous pouvez en calculer la date, sachant que le cycle de variation d'éclat est de 68 h 49 mn).

1982

Avril	1 (jeu)	Vénus en élongation matinale.
	8 (jeu)	Saturne en opposition dans la Vierge, mag 0,5.
	21 (mer)	Lyrides d'avril au max. à 22 h. Pas d'interférence de la lumière lunaire.
	25 (dim)	Jupiter en opposition à la limite de la Vierge et de la Balance, mag —2,0.
Mai	8 (sam)	Mercure en élongation vespérale (21°), favorable pour observateurs de l'hémisphère N.
Juillet	6 (mar)	Eclipse totale de la Lune, 7 h 30 (cf. p. 103).
Août	12 (jeu)	Perséides au maximum à 10 h. Interférence de la Lune vers l'aube.
Sept.	6 (lun)	Mercure en élongation vespérale (27°), favorable pour observateurs de l'hémisphère S.
Oct.	17 (dim)	Mercure en élongation matinale (18°), favorable pour les observateurs de l'hémisphère N.
Nov.	4 (jeu)	Vénus passe en conjonction supérieure ; elle est visible le soir.
Déc.	14 (mar)	Géminides au maximum à 7 h ; pas d'interférence de la lumière lunaire.
	16 (jeu)	Algol au minimum à 21 h.
	30 (jeu)	Eclipse totale de Lune à 11 h 26.

1983

Jan	4 (mar)	Quarantides au maximum à 4 h. Le dernier quartier de Lune interférera avant l'aube.
	8 (sam)	Algol au minimum à 19 h 35.
Fév.	8 (mar)	Mercure en élongation matinale (25 1/2°), favorable pour les observateurs de l'hémisphère S.

Mars	(fin)	Maximum de la variable à longue période χ du Cygne à mag 4 ou mag 5.
Avril	21 (jeu)	Mercure en élongation vespérale (20°), favorable pour les observateurs de l'hémisphère N. Saturne en opposition dans la Vierge, mag 0,4.
	22 (ven)	Lyrides d'avril au maximum à 12 h. La Lune, presque pleine, gênera beaucoup l'observation.
Mai	27 (ven)	Jupiter en opposition à la limite du Scorpion et d'Ophiucus, mag —2,1.
Juin	11 (sam)	Eclipse totale de Soleil ; durée max. 5 mn 11 s (cf. p. 40).
	16 (jeu)	Vénus en élongation vespérale.
	25 (sam)	Eclipse partielle de Lune : 34 % max. (cf. p. 103).
Août	12 (ven)	Perséides au maximum à minuit. La Lune gênera l'observation en début de soirée.
	19 (ven)	Mercure en élongation vespérale (27 1/2°), favorable pour observateurs de l'hémisphère S.
	25 (jeu)	Vénus passe en conjonction inférieure et devient visible le matin.
Oct.	1 (sam)	Mercure en élongation matinale (18°), favorable pour observateurs de l'hémisphère N.
Nov.	4 (ven)	Vénus en élongation matinale.
Déc.	4 (dim)	Eclipse annulaire de Soleil (cf. p. 40).
	14 (mer)	Géminides au maximum à 22 h. La Lune ne gênera l'observation qu'en début de soirée.
	18 (dim)	Algol au minimum à 21 h 20.

1984

Jan	4 (mer)	Quarantides au maximum à 10 h. Pas d'interférence de la Lune.
	10 (mar)	Algol au minimum à 22 h.
	22 (dim)	Mercure en élongation matinale (24°), favorable pour observateurs de l'hémisphère S.
Avril	3 (mar)	Mercure en élongation vespérale (19°), favorable pour observateurs de l'hémisphère N.
	21 (sam)	Lyrides d'avril au maximum à 19 h. La Lune gênera l'observation vers l'aube.
Mai	3 (jeu)	Saturne en opposition dans la Balance, mag 0,3.
	11 (ven)	Mars en opposition dans la Balance, diam. 17,6", mag —1,7.

	30 (mer)	Eclipse annulaire de Soleil (cf. p. 40).
Juin	15 (ven)	Vénus passe en conjonction supérieure et devient visible le soir.
	29 (ven)	Jupiter en opposition dans le Sagittaire, mag —2,2.
Juil	31 (mars)	Mercure en élongation vespérale (27°), favorable pour observateurs de l'hémisphère S.
Août	12 (dim)	Perséides au maximum à 8 h. La Pleine Lune gênera l'observation.
Sept	14 (ven)	Mercure en élongation matinale (18°), favorable pour observateurs de l'hémisphère N
Nov.	22-23 (jeu-ven)	Eclipse totale de Soleil ; durée max. 1 mn 59 s. (cf. p. 40).
Déc	14 (ven)	Géminides au maximum à 5 h. La Lune gênera l'observation vers l'aube.
	18 (mer)	Algol au minimum à 21 h 50.

1985

Jan	3 (jeu)	Mercure en élongation matinale (23°), favorable pour observateurs de l'hémisphère S. Quarantides au maximum à 16 h. Interférence de la Lune un peu avant l'aube.
Jan	11 (ven)	Algol au minimum à 20 h 20.
	22 (mar)	Vénus en élongation vespérale
Mars	17 (dim)	Mercure en élongation vespérale (18 1/2°), favorable pour observateurs de l'hémisphère N.
Avril	3 (mer)	Vénus passe en conjonction inférieure et devient visible le matin.
	21 (dim)	Lyrides d'avril au maximum à minuit. Pas d'interférence de la Lune.
Mai	4 (sam)	Eclipse totale de Lune à 19 h 57 (cf. p. 103).
	15 (mer)	Saturne en opposition dans la Balance, mag 0,2.
Juin	13 (jeu)	Vénus en élongation matinale.
Août	4 (dim)	Jupiter en opposition dans le Capricorne, mag —2,3.
	12 (lun)	Perséides au maximum à 12 h. La Lune gênera l'observation vers l'aube.
	28 (mer)	Mercure en élongation matinale (18°), favorable pour observateurs de l'hémisphère S.
Oct	28 (lun)	Eclipse totale de Lune à 17 h 43 (cf. p. 103), favorable pour observateurs de l'hémisphère S.
Nov	8 (ven)	Mercure en élongation vespérale (23°).
	12 (mar)	Eclipse totale de Soleil ; durée max. 1 mn 55 s (cf. p. 40).

Déc	14 (sam)	Géminides au maximum à 10 h ; pas d'interférence de la Lune.
	21 (sam)	Algol au minimum à 22 h 20.

1986

Jan	3 (ven)	Quarantides au maximum à 23 h. La Lune (dernier quartier) se lèvera tard.
	13 (lun)	Algol au minimum à 20 h 50.
Févr	28 (ven)	Mercure en élongation vespérale (18°), favorable pour observateurs de l'hémisphère N.
Avril	13 (dim)	Mercure en élongation matinale (28°), favorable pour observateurs de l'hémisphère S.
	22 (mar)	Lyrides au maximum à 8 h. La Lune presque pleine gênera l'observation.
	24 (jeu)	Eclipse totale de Lune à 12 h 44.
Mai	27 (mar)	Saturne en opposition dans le Scorpion, mag 0,2.
Juil	10 (jeu)	Mars en opposition dans le Sagittaire ; diam. 22" ; mag —2,4.
Août	11 (lun)	Mercure en élongation matinale (19°), favorable pour observateurs de l'hémisphère N.
	12 (mar)	Perséides au maximum à 20 h. La Lune, dans son premier quartier, se montrera tôt.
	27 (mer)	Vénus en élongation vespérale.
Sept	10 (mer)	Jupiter en opposition à la limite du Verseau et des Poissons ; mag —2,4.
Oct	3 (ven)	Eclipse partielle de Soleil visible d'Europe et des E.-U.
	17 (ven)	Eclipse totale de la Lune à 19 h 19.
	21 (mar)	Mercure en élongation vespérale (24°), favorable pour observateurs de l'hémisphère S.
Nov	5 (mer)	Vénus passe en conjonction inférieure et devient visible le matin.
	30 (dim)	Mercure en élongation matinale (20°), favorable pour observateurs de l'hémisphère N.
Déc	13 (sam)	Géminides au maximum à 24 h. La pleine Lune gênera l'observation.
	23 (mar)	Algol au minimum à 22 h 50.

Dates importantes de l'histoire de l'astronomie

Avant Jésus-Christ

V. 3000 Premières traces de l'astronomie babylonienne.

V. 1000 Premières traces de l'astronomie chinoise.

V. 280 Aristarque émet l'idée que la Terre tourne autour du Soleil.

V. 270 Eratosthène fait une appréciation de la circonférence de la Terre.

V. 130 Hipparque dresse le premier catalogue d'étoiles.

Après Jésus-Christ

V. 140 Ptolémée écrit l'*Almageste* où il affirme que la Terre est le centre de l'univers.

903 Al-Sufi mesure la position de certaines étoiles.

1054 Les astronomes chinois aperçoivent une supernova dans le Taureau.

1433 Ulugh Beigh dresse un catalogue d'étoiles.

1543 N. Copernic propose l'idée d'un monde centré sur le Soleil.

1572 Tycho Brahé observe une supernova dans Cassiopée.

1600 J. Kepler entame son analyse des observations planétaires de Tycho Brahé et en tire ses trois lois (1609-18).

1608 Invention par H. Lippershey du télescope à réfraction.

1609 Galilée et d'autres procèdent aux premières observations télescopiques.

1631 Le transit de Mercure à travers le Soleil, prédit par

▲ **Les astronomes** de l'Observatoire d'Istanbul, au Moyen Age. Ils utilisaient déjà plusieurs instruments astronomiques.

Kepler, est observé par Gassendi.

1638 Holwarda découvre la fameuse variable Mira Ceti.

1647 Lune des premières cartes de la Lune est dressée par Hevelius.

1668 I. Newton construit le premier télescope à réflection.

1687 Publication du *Principia* de Newton qui contient sa théorie de la gravitation universelle.

1705 E. Halley prédit que la

comète vue en 1682 sera de retour en 1758.

1725 Publication du premier catalogue « moderne » d'étoiles, basé sur les observations de Flamsteed.

1758 J. Dollond fabrique le premier objectif achromatique. La comète de Halley refait son apparition comme prévu.

1781 W. Herschel découvre la nouvelle planète Uranus.

1801 G. Piazzi découvre le premier astéroïde : Cérès.

1840 Première photographie de la Lune prise par J.W. Draper.

1846 Neptune est découvert comme l'avaient prédit J.C. Adams et U. Leverrier.

1859 G. Kirchhoff prouve que les éléments d'un corps très chaud impriment des raies caractéristiques dans son spectre.

1870-1900 La photographie astronomique et l'analyse spectrale font de grands progrès. En 1891 G.E. Hale invente le spectrohéliographe qui permet de photographier le Soleil sous une seule longueur d'onde.

1908 Le diagramme de Hertzsprung-Russell introduit l'idée d'étoile géante ou naine. Le premier réflecteur « géant » (1,50 m) entre en fonctionnement au mont Wilson.

1920 Le déplacement vers le rouge est observé sur de lointaines galaxies.

1923 E.P. Hubble mesure avec une bonne précision la distance de M31 d'Andromède.

1930 C. Tombaugh découvre Pluton.

1930-1960 Nombreuses recherches conduites sur la production d'énergie stellaire et l'évolution des étoiles.

1937 G. Reber détecte les premières ondes radio venues de l'espace.

1948 Achèvement du réflecteur de 5 m du mont Palomar.

1955 Achèvement du radiotélescope de 76 m de Jodrell Bank.

1963 On établit que les quasars sont très éloignés et l'on découvre l'existence d'une radiation traversant l'espace.

1967 Découverte des pulsars.

1977 Découverte des anneaux d'Uranus.

1981 Identification de la plus lointaine galaxie connue, à 10 milliards d'années-lumière de distance environ.

◀ **Le réflecteur d'Isaac Newton :** le premier du genre.

Dates importantes de l'exploration de l'espace

1804 Première ascension en haute altitude de Gay-Lussac et Biot, dans un ballon gonflé à l'air chaud (7 km).

1896 Des ballons lancés par Teisserenc de Bort analysent l'atmosphère jusqu'à 15 km d'altitude.

1903 Ziolkovsky propose l'idée de vaisseau spatial propulsé par des fusées.

1919 Goddard publie une monographie sur la propulsion par fusées.

1926 Goddard lance la première fusée à carburant liquide.

1942 A Peenemunde, les fusées V2 atteignent 180 km d'altitude.

1949 La première fusée à deux étages, la « WAC-Corporal », atteint une altitude de 400 km.

1950 Cap Canaveral est mis en service pour l'expérimentation des fusées.

1955 Les E.-U. annoncent leur intention de lancer des satellites dans l'espace.

1957 Lancement, le 4 octobre, par l'U.R.S.S., du premier satellite *Spoutnik 1.*

1958 *Explorer 1,* le premier satellite lancé par les E.-U., découvre les ceintures de radiations entourant la Terre.

1959 Lancement par l'U.R.S.S. de trois sondes en direction de la Lune : *Luna 2* en photographie la face cachée, *Luna 3* touche la surface.

1961 Lancement par l'U.R.S.S. de *Vostok 1,* la première capsule

▼ **Un des deux vaisseaux** *Voyager* qui ont dépassé Saturne en 1980 et 1981. L'un d'eux se dirige actuellement vers Uranus, l'autre vers Neptune.

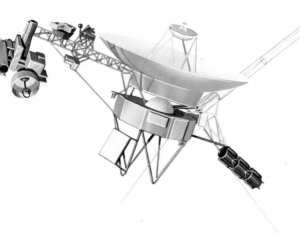

habitée par un cosmonaute (Gagarine).

1962 Premier lancement réussi d'une sonde interplanétaire ; *Mariner 2* transmet des renseignements sur Vénus.

1964 *Ranger 7* (E.-U.) prend les premiers gros plans de la Lune.

1965 *Mariner 4* (E.-U.) dépasse Mars et transmet photos et informations.

1966 *Venera 3* (U.R.S.S.) atterrit sur Vénus (première capsule à atteindre une autre planète). *Luna 9* (U.R.S.S.) réussit le premier atterrissage en douceur sur la Lune, suivi par *Surveyor 1* (E.-U.). Le premier satellite « cartographe » *Orbiter* est lancé (E.-U.).

1967 *Venera 4* (U.R.S.S.) atterrit en douceur sur Vénus et transmet des informations.

1969 *Mariner 6* et *7* (E.-U.) dépassent Mars et transmettent photos et informations. *Apollo II*

atterrit et le premier homme marche sur la Lune (20 juil.).

1970 La première sonde lunaire automatique — *Luna 16* (U.R.S.S.) — rapporte un échantillon sur la Terre.

1971 *Mariner 9* (E.-U.) se met en orbite autour de Mars et transmet des informations.

1973 *Pioneer 10* dépasse Jupiter : c'est le premier objet manufacturé à quitter le système solaire. Le laboratoire orbital *Skylab* (E.-U.) est occupé successivement par trois équipes.

1974 *Mariner 10* (E.-U.) dépasse Vénus et Mercure. Les *Saliout 3* et *4* (U.R.S.S.) s'arriment pour former un observatoire orbital. *Pioneer 11* (E.-U.) dépasse Jupiter et se dirige vers Saturne.

1976 Premiers atterrissages sur Mars réussis par les deux capsules *Viking* (E.-U.).

1978 Le projet *Pioneer Venus* (E.-U.) met deux capsules sur orbite autour de Vénus et fait atterrir quatre sondes.

1979 Les *Voyager 1* et *2* (E.-U.) dépassent Jupiter. *Pioneer 11* dépasse victorieusement Saturne après un voyage de six ans.

1980 *Voyager 1* « survole » Saturne et se dirige vers l'espace inconnu.

1981 La première navette spatiale *Columbia* (E.-U.) accomplit deux vols réussis. *Voyager 2* dépasse Saturne et se dirige vers Uranus qu'il doit atteindre en 1986.

◀ **L'un des astronautes** d'*Apollo 16* collectant des échantillons de roche et de sol.

Bibliographie sommaire

Cet ouvrage n'a pas la prétention de répondre à toutes les questions que vous pourriez vous poser, si vous vous intéressez à l'astronomie. Nous vous conseillons donc de consulter quelques livres qui développent les thèmes ici abordés :

A l'affût des étoiles, de Pierre Bourge et Jean Lacroux (Dunod).

Connaître les étoiles en dix leçons, de Pierre Kohler (Hachette).

Etoiles et planètes, de Robin Kerrod (Solar).

Si vous désirez comprendre la cosmologie et l'astronomie d'une manière plus fondamentale et générale, vous consulterez utilement :

Au-delà de notre Voie Lactée, un étrange Univers, de Jean Heidmann (Hachette).

La Nouvelle Astronomie, de Jean-Claude Pecker (Hachette).

La Chaîne bleue, d'Albert Ducrocq (Editions n° 1).

Vous pouvez également vous abonner à des revues spécialisées telles que : *Ciel et Espace, Infos Astro, Revue du Palais de la Découverte.* Si vous lisez l'anglais, précipitez-vous sur *Sky and Telescope.*

Les associations

Pourquoi ne pas vous inscrire à un club d'astronomie ? Il en existe plus de deux cents en France. L'Association française d'astronomie (A.F.A., 115, rue de Charenton, 75012 Paris), vous donnera tous les renseignements que vous souhaitez obtenir à cet égard. Vous pouvez également vous adresser à la Société astronomique de France (S.A.F., 3, rue Beethoven, 75016 Paris), qui regroupe des professionnels et des amateurs. Fondée en 1887 par Camille Flammarion, elle publie un bulletin mensuel, d'un haut niveau technique. Si vous habitez dans le sud de la France, consultez la Société d'astronomie populaire de Toulouse (9, rue Ozenne, 31000 Toulouse). Elle édite un bulletin qui fournit des notices techniques et des éphémérides.

Des adresses

Pour acheter l'instrument que vous convoitez, adressez-vous à :

— La Maison de l'astronomie, 35, rue de Rivoli, 75004 Paris.

— Société P. Médas, 57, avenue du Président-Doumer, B.P. 181, 03206 Vichy Cedex.

— OPTAS, 71, rue de Rome, 75008 Paris (spécialiste des jumelles).

Glossaire

Tous les termes définis ici ne figurent pas dans l'ouvrage mais ils sont utiles et il peut vous arriver de les rencontrer au cours de vos travaux d'astronome amateur.

Aérolithe Météorite pierreux.

Albédo Rapport entre la lumière réfléchie et la lumière reçue.

Altitude Hauteur d'un objet au-dessus de l'horizon (en degrés).

Angle horaire L'angle (en heures sidérales) que fait le méridien du lieu avec le cercle polaire qui passe par l'astre considéré.

Année-lumière Distance que parcourt la lumière en une année (9 460 700 000 000 km).

Aphélie Point de son orbite où un corps céleste est le plus éloigné du Soleil.

Apogée Point de son orbite où un corps céleste est le plus éloigné de la Terre.

Ascension droite Cordonnée astronomique équivalant à la longitude terrestre (α).

Bande zodiacale Bande lumineuse très faible, cernant l'écliptique — résultat de la réflection de la lumière sur des particules interplanétaires.

Binaire (étoile) Groupe de deux étoiles tournant l'une autour de l'autre.

Bolide Météore plus brillant que la planète Vénus.

Chevelure Tête d'une comète.

Chromosphère Atmosphère interne du Soleil.

Conjonction Alignement d'une planète avec la Terre et le Soleil.

Couronne Atmosphère extérieure du Soleil.

Déclinaison Coordonnée astronomique équivalant à la latitude terrestre (δ).

Déplacement vers le rouge La manière dont une étoile rougit quand elle s'éloigne de l'observateur. Un corps qui se rapproche bleuit et montre alors un déplacement vers le bleu.

Ecliptique Trajectoire suivie par le Soleil au fil de l'année.

Effet Doppler-Fizeau Variation de la longueur d'onde du son ou de la lumière selon que la source se rapproche ou s'éloigne de l'observateur.

Ellipse Trajectoire ovale décrite par les planètes et nombre de comètes.

Elongation Distance angulaire d'une planète inférieure au Soleil.

Etoiles de Wolf-Rayet Etoiles très chaudes à atmosphère lumineuse.

Excentricité Terme utilisé pour décrire la différence entre une ellipse et un cercle. Une ellipse très excentrique est une boucle fermée, longue et étroite.

Fréquence zénithale horaire (ZHR) Le nombre de météores/heure que l'on verrait si le radiant était au zénith.

Galaxie Système d'étoiles. On désigne par le terme de Galaxie celle dont fait partie notre Soleil.

Gegenschein Tache lumineuse diamétralement opposée à la position du Soleil (visible la nuit).

Ionosphère Couche supérieure de l'atmosphère terrestre (au-dessus de 70 km); les atomes y ont perdu ou gagné des électrons et sont donc ionisés.

Jour sidéral Le temps qu'il faut à la Terre pour se retrouver dans la même position par rapport aux étoiles (23 h 56 mn 4 s).

Jour solaire Le temps qu'il faut à la Terre pour se retrouver dans la même position par rapport au Soleil (24 h).

Limbe Bord du Soleil, de la Lune ou d'une planète tel qu'on le voit dans l'espace.

Longueur d'onde En matière de radiations, distance séparant deux impulsions.

Longueur focale Distance entre une lentille (ou un miroir) et l'image d'un objet lointain qu'elle (il) forme.

Luminosité Mesure de la lumière produite par une étoile.

Lunaison Intervalle de temps séparant deux nouvelles lunes.

Magnétosphère Enveloppe magnétique de la Terre.

Magnitude Echelle de mesure de l'éclat d'une étoile.

Méridien Ligne imaginaire qui traverse le ciel en passant par le zénith et les pôles nord et sud.

Mouvement propre Mouvement d'une étoile perpendiculaire à notre rayon visuel.

Mouvement rétrograde Mouvement de sens opposé à celui que suivent habituellement les planètes (le sens habituel est l'inverse de celui des aiguilles d'une montre).

Nœud Le point auquel l'orbite de la Lune (ou d'une planète) croise le plan de l'orbite de la Terre (écliptique).

Occultation Eclipse d'un corps céleste (ou d'une planète) par la Lune, d'une étoile par une planète, d'un satellite par sa planète.

Opposition Position d'une planète où elle est alignée avec la Terre et le Soleil.

Parallaxe Angle décrit par une étoile proche lorsqu'on la voit des deux côtés opposés de l'orbite terrestre.

Périastre Distance minimum entre deux étoiles d'un système binaire tel qu'on le voit de la Terre.

Périgée Point de son orbite où un satellite est le plus proche de sa planète.

Périhélie Point de son orbite où un corps céleste est le plus proche du Soleil.

Perturbations Changement d'orbite d'un corps céleste dû à l'attraction gravitationnelle d'un autre corps.

Photosphère Surface visible du Soleil.

Protubérances Eruptions de gaz en provenance de la surface du Soleil.

Raies de Fraunhöfer Raies d'absorption dans le spectre du Soleil.

Saros Cycle de 18 ans et 11 jours qui règle le retour des éclipses.

Sidérite Météorite ferreux.

Soleil de Minuit Présence du Soleil au-dessus de l'horizon à minuit, aux latitudes élevées, alors que sa distance au pôle céleste est inférieure à l'altitude du pôle.

Spectre d'absorption Spectre traversé par des raies sombres du fait que certaines longueurs d'ondes lumineuses sont absorbées par la présence de gaz froid.

Spectre d'émission Spectre traversé par des raies brillantes dues à la présence de gaz lumineux.

Spectrohéliographe Instrument permettant de photographier le Soleil sous la lumière, émise par un seul élément.

Stratosphère Couche d'air calme et froid comprise entre 15 et 40 km d'altitude.

Tektites Petits objets vitrifiés, probablement d'origine météoritique et que l'on trouve dans certaines régions de la surface terrestre.

Transit Passage d'un corps céleste à travers le disque d'un corps plus grand.

Troposphère Région inférieure de l'atmosphère terrestre (jusqu'à 15 km d'altitude environ).

Unité astronomique Distance moyenne de la Terre au Soleil (149 597 870 km).

Vent solaire Courant de particules chargées émis en permanence par le Soleil.

Index

187

CRÉDITS PHOTOS

Photographes : Ron Arbour 10, 70, 167 ht ; Arizona Meteor Laboratory 143 dr. ; Lynne Bryant 32 ; California Institute of Technology 11 ht, 42, 56, 58 dr. et g. ; 59, 61, 97, 154 ht, 155 ; John Clarke 106/107 ; Dr Leo Conolly, couverture ht g. ; P. Crabtree 83, 88, 166, 167 dr. et g. ; A.P. Dowdell 143 g. ; Hale observatories 8, 57, 137 bis ; Alan W. Heat 105 ; Kitt Peak 18 dr. ; Saul Levy 144 ; Lund Observatory 152-153 ; Robin Kerrod 4e de couverture bas dr. ; 6, 18 g., 20 ; James Muirden couverture bas dr., 13, 18 ht, 35, 38, 81, 87, 90, 95, 164, 165 ; NASA 7, 118, 119, 132, 137 bas, 182, 4e de couverture ht g. ; New Mexico State University Observatory 125 ; Ann Ronan 147 ; Royal Astronomical Society 62, 64, 91, 100-101, 123, 136, 137 ht, 140, 146, 154 bas, 163 ; Royal Observatory, Edimbourg 60, 92 ; Science Musueum, Londres 23, 180 ; Space Frontiers 11 bas, 34 bas, 63 bas, 78, 127, 131, 139, 155 ht, 157, 4e de couverture ht dr. ; Science Photo Library 55, 148, couverture ht dr., United States Naval Observatory 63 ht ; Yerkes Observatory 14 g. ; Zefa 41, 98, 145, 161, 4e de couverture bas g.

Recherche iconographique : Jackie Cookson.

189